D1290669

Bien d'autres
vestiges révélés par l'archéologie
donnent aujourd'hui une image totalement différente
de la civilisation de la Gaule romaine,
dont le génie a été d'assimiler, d'interpréter
et d'intégrer les modèles romains, sans rien perdre
de son originalité.

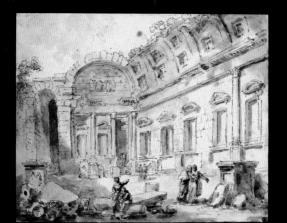

Arc de triomphe
et théâtre d'Orange

La Maison carrée, les arènes
et la tour Magne à Nîmes

Intérieur du temple
de Diane à Nîmes

Le pont du Gard

C onservateurs des
Musées nationaux
depuis 1975 et 1981,
Françoise Beck et
Hélène Chew sont
responsables de la
section gallo-romaine
au Musée des antiquités
nationales, à Saint-
Germain-en-Laye.
Leur formation
universitaire, reçue
respectivement à
Nancy et à Tours,
fut complétée par
l'expérience acquise
sur de nombreux
chantiers de fouilles.
Françoise Beck dirige
depuis 1985 un secteur
du chantier
archéologique
international du Mont-
Beuvray, en Bourgogne,
et enseigne à l'Ecole
du Louvre. Les auteurs
publient régulièrement
des articles centrés sur
les riches collections
de leur musée, et
s'intéressent en
particulier au verre
et à la période gallo-
romaine précoce.

*Tous droits de traduction
et d'adaptation réservés
pour tous pays*
© *Gallimard 1989 / RMN*

*1ᵉʳ dépôt légal : octobre 1989
Dépôt légal : avril 1999
Numéro d'édition : 91097
ISBN : 2-07-053094-9
Imprimé en Italie
par Editoriale Lloyd*

QUAND LES GAULOIS ÉTAIENT ROMAINS

Françoise Beck et Hélène Chew

DÉCOUVERTES GALLIMARD
RÉUNION DES MUSÉES NATIONAUX
HISTOIRE

En 52 av. J.-C., la Gaule est conquise… Mais Alésia n'est pas la fin de la Gaule. Rome unifie et organise le pays, propose à ses habitants un mode de vie qu'ils adoptent volontiers. Les Gaulois assimilent de nouveaux usages et, les mêlant à leurs traditions, créent une civilisation originale, la civilisation gallo-romaine, qui s'épanouit pendant plus de deux siècles de paix.

CHAPITRE PREMIER
«PAX ROMANA»

Dans Alésia assiégée, les troupes gauloises manquent de vivres. Tous les efforts pour briser le siège ont échoué. L'armée gauloise capitule et Vercingétorix se rend à César : il jette ses armes aux pieds de son vainqueur, scène dramatique qui a inspiré, au XIXe s., le peintre Lionel Royer.

Vénètes

Combien de Gaulois? Combien de Romains?

Maîtresse de la Gaule, Rome va, en un temps relativement court, la marquer d'une empreinte profonde. En quelques décennies, le visage du pays se transforme tout en gardant un air de famille avec celui de la Gaule indépendante. Les changements sont assez profonds pour que l'on puisse parler de tour de force si l'on songe que quelques individus, les fonctionnaires de l'Empire romain en poste en Gaule, sans doute à peine quelques centaines de personnes, ont provoqué l'évolution d'une population estimée entre dix et vingt millions d'habitants.

Le recensement de la population en Gaule, comme celui de tout l'Empire, avait été ordonné par Auguste en 27 et 12 av. J.-C., puis en 14 apr. J.-C., afin d'établir l'impôt; mais ces chiffres ne nous sont bien entendu pas parvenus. Les Romains ne représentaient en tout cas qu'un pourcentage dérisoire par rapport à la population indigène : quelques fonctionnaires, autour du gouverneur de chaque province – le reste de l'administration était assuré par les notables gaulois –, des soldats, et un certain nombre de commerçants. Ces derniers ont à coup sûr largement

La reddition de Vercingétorix a été figurée par différents peintres au XIXᵉ s. Sous l'influence des idées nationalistes et à la suite de Napoléon III, passionné d'archéologie nationale, on a commencé à s'intéresser à «nos ancêtres les Gaulois» que, faute d'informations suffisantes, on a généralement représentés sous un jour fantaisiste.

Nerviens

Ambiens

GAULE BELGIQUE

Aulerques

Trévires

Rèmes

LYONNAISE

arnutes

Mandubiens

Eduens

Séquanes

Bituriges

tons

AQUITAINE

Lémovices   Arvernes

Allobroges

NARBONNAISE

Volques

contribué à faire adopter bon nombre d'habitudes romaines aux populations gauloises qu'ils fréquentaient depuis longtemps.

Dès la fin du Iᵉʳ siècle av. J.-C., la Gaule est réorganisée pour entrer dans le cadre de l'Empire romain

La Gaule chevelue conquise («chevelue» pour le nombre de ses forêts plutôt que pour l'habitude gauloise de porter les cheveux longs) est annexée aux possessions romaines à côté de la Gaule transalpine, province romaine depuis 121 av. J.-C. Le nouveau territoire et l'ancienne province sont alors réorganisés par César, puis par Auguste. Ils forment de nouvelles provinces : Lyonnaise, Aquitaine et Gaule belgique. L'ancienne province de Transalpine est rebaptisée Narbonnaise quand Auguste, en 27 av. J.-C., lors d'un long séjour à Narbonne, l'attribue au Sénat. A sa tête, le gouverneur est un proconsul. En revanche, les trois nouvelles provinces font partie du domaine impérial et le gouverneur est l'empereur lui-même. Il nomme pour le représenter un *legatus Augusti pro praetore*, qu'il choisit parmi les sénateurs. Narbonne restait capitale de la Narbonnaise, et Lyon, fondée en 43 av. J.-C., centre du culte de Rome et d'Auguste, fut élevée au rang de capitale des Trois Gaules.

Ces différences de statut entre les Trois Gaules (Lyonnaise, Aquitaine, Gaule belgique) et la Narbonnaise recouvrent aussi des disparités culturelles. La Narbonnaise, conquise plus de soixante-dix ans avant le reste du pays, en contact permanent avec les civilisations méditerranéennes depuis plus longtemps encore, a pris une longueur d'avance en matière de romanisation. Trois générations ont déjà pu y adopter certaines habitudes romaines.

Les «civitates»

Dans chacune des quatre provinces gauloises, populations et territoires étaient regroupés en *civitates* qui reprenaient l'ancienne répartition des principaux peuples de la Gaule indépendante. A l'époque d'Auguste, elles sont au nombre de quatre-vingts

Auguste, après César, s'intéresse aux provinces gauloises. Au cours d'un séjour à Narbonne, il définit leur statut et leur organisation. Un graveur du XIXᵉ s. l'a imaginé annonçant lui-même ses décisions aux Gaulois.

Une Tutela, déesse protectrice, veillait sur les villes. Sa coiffure tourelée symbolisait les murailles de l'enceinte.

environ. La capitale de ces *civitates* reçut les institutions municipales et fut chargée, sous le contrôle romain, de l'administration de l'ensemble de l'unité territoriale. Nouvelle en Gaule, la vie municipale s'établit selon le modèle italien. Deux ou quatre magistrats, *duoviri* ou *quattuorviri*, élus annuellement, assurent l'administration, la juridiction primaire, le maintien de l'ordre. Ils sont assistés par le sénat local, les décurions.

Le statut des «civitates»

Toutes les villes n'avaient pas le même statut et leurs habitants les mêmes prérogatives. Une savante gradation les plaçait plus ou moins haut dans la hiérarchie des droits, selon qu'elles avaient été ennemies ou alliées de Rome lors de la conquête, selon qu'elles avaient été fondées comme colonie avec ou sans apport de vétérans.

Les plus défavorisées étaient les cités dites pérégrines, réputées étrangères et sujettes, qui gardaient leurs institutions, mais ne bénéficiaient pas des droits que pouvaient accorder les vainqueurs.

Les municipes, de même que les colonies, de droit latin, jouissaient d'un meilleur statut. Leurs magistrats accédaient à la citoyenneté romaine, et toute la ville se sentait sur la voie de l'accession au droit romain.

La position la plus enviable était celle de colonie romaine, où tous les habitants, citoyens romains,

Pacatianus, un notable de Vienne, porte la toge romaine, privilège réservé aux magistrats et aux décurions.

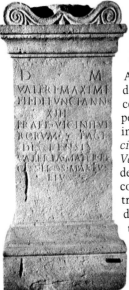

bénéficiaient des mêmes droits que les hommes libres de Rome.

Les «pagi», les «vici»

A l'intérieur des *civitates*, des subdivisions en *pagi* correspondaient à d'anciens peuples, de moindre importance, rattachés à une *civitas*. Ainsi, le *Pagus Venectes* faisait partie de la cité des Rèmes. On ne connaît qu'une trentaine de noms des trois cent cinq *pagi*. Ces chefs-lieux secondaires et toute une série d'agglomérations plus petites encore, les *vici*, furent l'amorce de nombre de nos villages. Le *vicus* agricole regroupait près d'une *villa* importante les habitations des fermiers qui louaient et exploitaient les terres du domaine. Le *vicus* routier s'installait à proximité d'une voie importante. Enfin, le *vicus* d'artisans et de marchands prend, pendant les siècles de la Paix romaine, un grand essor. Doté d'un marché et d'un champ de foire, il participe à la vie commerciale entre les villes et la campagne. Le *vicus* est à la fois producteur et distributeur, comme Noviomagus (Noyon) ou Forum Domitii (Montbazon).

Le statut des hommes libres est, sauf exception, le reflet de celui de la cité où il vit

A municipe de droit latin, citoyens de droit latin, à colonie de droit romain, citoyens romains, avec, en haut de l'échelle sociale, les magistrats et les décurions qui administraient les villes. Mais la société n'était pas totalement fermée et, de même

Valerius Maximus vivait dans le *Pagus Deobensis*, aujourd'hui Séguret (Vaucluse). Les inscriptions sur les autels funéraires (ici à gauche) nous révèlent le nom d'un certain nombre de *pagi*, nom souvent sans rapport avec celui des villages actuels.

Vorgium
(Carhaix)

La *civitas* des Osismes comprenait plusieurs agglomérations secondaires, *pagi* et *vici*, autour de la capitale Vorgium (Carhaix).

1 - Vorgium
2 - Quimper
3 - Douarnenez
4 - Landerneau
5 - Kerilien
6 - Morlaix
7 - Lannion
8 - Quintin
9 - Quimperlé
10 - Le Yaudet
11 - Brest
12 - Tronoën

que l'on pouvait s'élever dans la hiérarchie municipale (certaines charges religieuses ouvraient la voie aux magistratures urbaines), on pouvait passer du droit latin au droit romain, et même se glisser dans les rangs des classes privilégiées, l'ordre équestre et parfois sénatorial.

La majorité des hommes libres n'atteindra toutefois pas ces honneurs. L'ensemble des commerçants, artisans, médecins, avocats et pédagogues se contentera de son statut d'homme libre bénéficiant du droit latin ou romain. Les esclaves, qui ne paraissent pas avoir été très nombreux, mais dont des entraves et quelques inscriptions attestent l'existence, sont souvent affranchis. Ils semblent accéder assez facilement à la liberté, et pouvoir, par le biais de certaines charges, dans les collèges professionnels ou religieux, s'élever dans la société.

L'esclave (à gauche) qui se repose en attendant de guider les pas de son maître grâce à sa lanterne, lors d'un retour tardif, est un pot à épice trouvé à Chaource. Le guerrier de Vachères, ci-dessous, est l'un des nombreux Gaulois enrôlés dans l'armée romaine.

Le prix de la défaite

Pour les Trois Gaules, c'est un prix relativement léger, puisque le symbole de la soumission à Rome, le tribut imposé à tous ceux qui ne sont pas citoyens romains, soit quarante millions de sesterces, représente environ cinquante à cent francs actuels par adulte et par an.

Rome ne voulait pas mettre à genoux les populations gauloises déjà éprouvées par les années de guerre, mais préférait les laisser prospérer et profiter de leur prospérité. Quelques cités, les Trévires, peuple libre, les Eduens, amis et alliés du peuple romain, étaient exemptés du paiement du tribut, mais pas des autres impôts, taxes sur les terres concédées, 5 % sur

les héritages, 1 % sur les ventes aux enchères…
La perception de ces impôts était confiée à des
«fermiers» surveillés de près par l'administration.

La défaite soumettait également les trois provinces
à une contribution militaire : des Gaulois devaient
servir dans les armées auxiliaires de cavaliers et
d'archers. Contrainte légère pour ces combattants
acharnés qu'étaient les Gaulois!

La conquête accélère en Gaule l'utilisation de la monnaie, notamment pour le paiement des fermages.

L'armée romaine en Gaule : une présence discrète

Bien que vaincu, le pays ne
subit pas d'occupation
militaire : mille hommes
seulement sont basés à Lyon.
Les légions romaines sont en
effet stationnées sur le Rhin,
longtemps frontière entre
l'Empire et les provinces libres
de Germanie. En cas de besoin,
des détachements de ces légions
interviennent en Gaule : pour
réprimer des troubles (en 21, en 68,
en 186…), pour construire ou
surveiller les axes routiers vitaux, pour exploiter
les mines et les domaines de l'Etat.

La défaite des camps construits à ces occasions conservent
la trace du séjour des troupes à Mirebeaux (Côte-
d'Or), à Arlaines (Aisne), à Aulnay
(Charente-Maritime)…

Copie, trouvée en Arles, d'un bouclier de Vertu offert par le Sénat à Auguste en 27 av. J.-C.

S i les mouvements de résistance contre Rome furent rares en Gaule, celui de Sabinus, sous le règne de Vespasien, prit un tour dramatique. On doit à Plutarque de connaître son histoire. Riche propriétaire terrien de la région de Langres, Sabinus avait fomenté une révolte contre la domination romaine et s'était proclamé empereur. Rapidement vaincu et abandonné par ses partisans, il brûla ses propriétés et feignit de s'empoisonner. En réalité, il se cacha dans un souterrain où sa femme, Eponine, veuve éplorée le jour, le rejoignait la nuit. Ils vécurent neuf ans ainsi cachés, puis, découverts, ils furent conduits avec leurs deux enfants à Vespasien. Malgré les supplications d'Eponine, l'empereur refusa la grâce à celui qui s'était prétendu descendant de César. La peinture de cette scène déchirante valut le prix de Rome à Menjaud en 1802.

César récompense ceux qui l'ont aidé et servi

Un grand nombre de Gaulois sont devenus citoyens romains en étant, en quelque sorte, adoptés par César. Ils portent son prénom, Caïus, et son gentilice, Julius, précédant leur nom indigène qui devenait leur surnom : C. Julius Douratios, C. Julius Agedommopatis… les successeurs de César «adoptent» aussi beaucoup, jusqu'en 212, date à laquelle Caracalla accorde la citoyenneté romaine à tous les hommes libres de l'Empire.

Seules deux fausses notes, deux sursauts de l'orgueil gaulois, ont marqué le Ier siècle apr. J.-C.

En 21, Tibère, ayant besoin d'argent, avait, plusieurs années de suite, imposé le tribut à ceux qui en étaient dispensés. C. Julius Florus lança un mouvement de révolte chez les Trévires et C. Julius Sacrovir chez les Eduens. Ces mouvements, localisés, et qui furent le fait de quelques descendants des aristocrates de l'indépendance, ne s'étendirent pas, et leurs auteurs, battus, se suicidèrent. En 68, à nouveau, un soulèvement, mais d'une nature toute différente, secoua la Gaule. Vindex, le gouverneur romain de la Lyonnaise, appela les Gaulois à la révolte, non contre la domination romaine, mais contre Néron lui-même, le tyran. La rébellion s'étendit à une grande partie de l'Occident et mena à la mise en place de la dynastie flavienne. Jusqu'à l'établissement de l'Empire gaulois – plus une mesure de défense que de révolte –, la concorde régna entre Rome et la Gaule. Les Gallo-Romains ont même à cœur de prouver leur attachement à Rome et à son Prince en célébrant le culte impérial.

Claude, l'empereur «gaulois»

En retour, plusieurs empereurs eurent une affection particulière pour la Gaule, comme Claude (41-54) – né à Lyon –, au point que Sénèque l'appelait l'empereur «gaulois». Il défendit les frontières menacées par les populations germaniques, Chattes et Chauques, conquit la Bretagne, ouvrant ainsi un vaste débouché aux productions gauloises, et offrit

Primigenius, un affranchi, porte le bonnet des flamines du culte impérial. Cette fonction lui permettra de s'élever dans la hiérarchie sociale.

L es Tables claudiennes exposaient à la vue de tous le contenu du discours de Claude réclamant l'entrée de notables gaulois au Sénat. C'était un acte de propagande, sans doute, mais surtout une marque d'affection réelle de l'empereur «gaulois» pour son pays natal.

de nombreux monuments : acqueducs de Lyon, amphithéâtre de Saintes, théâtre de Feurs...
Il compléta aussi le réseau routier d'Agrippa : de nombreuses bornes milliaires portent son nom.
Preuve suprême d'affection, il essaya, en 48, par un discours conservé en partie sur les Tables claudiennes, grandes plaques de bronze qui devaient être exposées sur le *forum* de Lyon, de faire admettre aux membres du Sénat romain l'arrivée parmi eux des notables gaulois. Après une vive opposition, ce grand honneur fut accordé aux notables éduens, depuis si longtemps amis du peuple romain.

Trajan (98-117), par l'annexion de la Dacie et de son or, eut aussi, pour les provinces gauloises, un rôle de premier plan. Le trésor impérial étant considérablement augmenté, l'empereur entreprit une importante politique de constructions dont bénéficièrent surtout les villes gauloises.

L'emprise de Rome se fait sentir profondément dans la langue

La langue des vainqueurs, le latin, était évidemment utilisée dans l'armée, dans l'administration, mais aussi dans beaucoup de relations commerciales, et il apparut vite que tout un chacun avait intérêt à apprendre le latin. L'administration touchait en effet tout le monde, même très loin des capitales, par le recensement, par les opérations de cadastration.

C 'est à Lyon qu'a été institué le culte de Rome et d'Auguste. Le grand prêtre, élu tous les ans parmi les représentants des Trois Gaules, officiait dans le sanctuaire fédéral, auprès de l'autel dont les monnaies émises à partir de 12 apr. J.-C. par l'atelier impérial de Lyon nous ont gardé l'image.

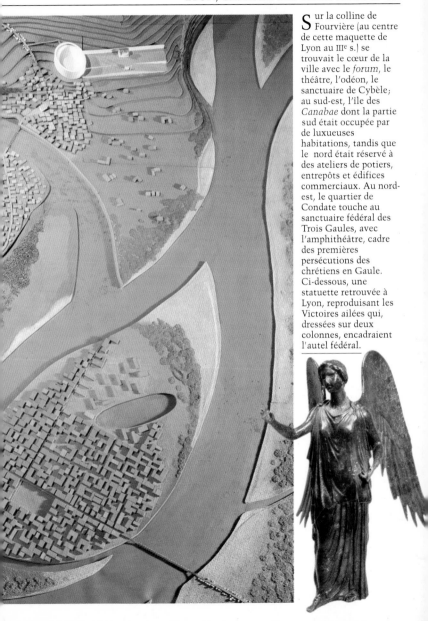

S ur la colline de Fourvière (au centre de cette maquette de Lyon au IIIᵉ s.) se trouvait le cœur de la ville avec le *forum*, le théâtre, l'odéon, le sanctuaire de Cybèle; au sud-est, l'île des *Canabae* dont la partie sud était occupée par de luxueuses habitations, tandis que le nord était réservé à des ateliers de potiers, entrepôts et édifices commerciaux. Au nord-est, le quartier de Condate touche au sanctuaire fédéral des Trois Gaules, avec l'amphithéâtre, cadre des premières persécutions des chrétiens en Gaule. Ci-dessous, une statuette retrouvée à Lyon, reproduisant les Victoires ailées qui, dressées sur deux colonnes, encadraient l'autel fédéral.

La mode dut, dans ce domaine, jouer beaucoup puisque l'aristocratie, ralliée à Rome, se romanisa très vite. Les premiers citoyens romains, par exemple, créés par César, portent dans les années 40 av. J.-C., un nom de type romain : les *tria nomina*, c'est-à-dire un prénom, un nom, un surnom, comme les Romains.

Une famille de Saintes, dont nous suivons l'évolution à travers une inscription, nous montre la pénétration des habitudes romaines. L'arrière-grand-père était un pur Gaulois, il s'appelait Epotsorovidos; son fils, fait citoyen romain par César, vers 50-45 av. J.-C., prend les *tria nomina* : Caïus Julius Gedomo (son surnom est un nom gaulois); son petit-fils, C. Julius Otuaneunos, porte toujours un surnom gaulois. Mais son arrière-petit-fils, qui sera un grand-prêtre de Rome et d'Auguste à l'autel fédéral des Trois Gaules en 19 av. J.-C., a reçu un nom absolument romain : C. Julius Rufus. En une soixantaine d'années, la romanisation de cette famille semble totale.

L'enseignement implante les bases du latin

Le latin était probablement assez largement compris d'une bonne partie de la population dès le Ier siècle av. J.-C. : les nombreuses inscriptions funéraires gravées à cette époque pouvaient être lues, sinon elles n'auraient pas eu de raison d'être. Cela prouverait qu'un enseignement primaire, destiné à l'apprentissage de la lecture et de l'écriture, dispensé par un maître d'école aux enfants de sept à onze ans, était généralement suivi. Ce n'étaient, en revanche, que les enfants de milieux plus favorisés qui suivaient, pendant quatre ou cinq ans, les cours plus approfondis

Avec la partie pointue des styles, on écrivait dans la cire étalée sur des tablettes de bois, tandis qu'on lissait pour effacer avec l'extrémité plate. Les tablettes, liées par deux, se rabattaient l'une sur l'autre, protégeant les textes inscrits. Des cachets de bronze permettaient d'imprimer sur l'argile, la cire, le pain…

des grammairiens. Ils pouvaient par la suite acquérir à l'université la culture indispensable à qui voulait faire une carrière publique en étudiant l'art oratoire et la rhétorique. Les rhéteurs, professeurs respectés, considérés comme les successeurs des druides dans le domaine de l'éducation, dispensaient leurs cours dans des universités parfois réputées, celle d'Autun par exemple. Cet enseignement à la romaine familiarisait, dès l'enfance, les Gallo-Romains avec les habitudes, la langue et la culture latine.

Donc, même si l'on sait que le gaulois a survécu largement (le père d'Ausone, au IVe siècle, parlait difficilement le latin), et qu'il n'a été finalement supplanté que grâce au rôle de l'Eglise, on peut imaginer qu'une proportion forte de la population, dès le Ier siècle apr. J.-C., comprenait le latin et le parlait, en le mitigeant sans doute fortement de gaulois.

La romanisation comme instrument d'ascension sociale

Il est cependant indéniable qu'une élite de la population était plus fortement, sinon totalement, romanisée, pour pouvoir, à la suite d'une carrière municipale, entrer en charge dans l'administration romaine. Le marbre de Thorigny

A la Graufesenque (Aveyron), on inscrivait sur une assiette crue le nom de chaque potier et la liste des vases qu'il donnait à cuire dans le four commun. L'assiette, cuite avec la fournée, permettait à chacun de retrouver son bien à la sortie du four.

L e matériel d'écriture comportait aussi des instruments qui nous sont familiers, tels le compas et l'encrier, où l'on trempait le calame de roseau.

L'écriture capitale était utilisée pour les inscriptions lapidaires; ci-contre une dédicace trouvée à Alise au XIXe s.

D eux élèves étudient les auteurs latins dans un *volumen* sous l'œil attentif du maitre. Ils sont rejoints par un camarade muni de ses tablettes.

retrace, ainsi, la carrière d'un Viducasse, Titus Sennius Sollemnis, d'Aragenuae (Vieu, en Normandie), qui vivait au IIIe siècle et fut magistrat dans sa cité puis délégué à l'assemblée de Lyon, grand prêtre de Rome et d'Auguste. L'année suivante, il occupa un poste d'officier subalterne auprès

du gouverneur de Bretagne insulaire, puis dans l'armée d'Afrique. Bien qu'assez peu élevés, ces deux postes, normalement réservés aux citoyens romains, faisaient participer un Gaulois à l'administration.

Partout les villes se construisent. Autour du forum, symbole de la présence de Rome, édifices publics, quartiers d'habitation, installations artisanales s'organisent, et forment le cadre essentiel du nouveau genre de vie à la romaine. Rome installe ses organes administratifs et politiques dans la ville, et la place ainsi à la tête de la «civitas».

CHAPITRE II
EN TRAVERSANT
LES VILLES

Les murs protègent parfois la ville, mais ils ne l'isolent pas du reste de la *civitas* : sans les campagnes, la ville ne peut vivre; sans la ville, la campagne vit mal.

Aux abords de la ville

Avant de pénétrer dans la ville
animée, le voyageur doit traverser
les nécropoles qui longent de part
et d'autre les routes d'accès. Sur
les tombeaux et les mausolées, des
inscriptions mélancoliques l'incitent
à penser aux disparus, que l'hygiène,
le respect religieux – et le manque de
place – ont rejetés hors du périmètre
sacré de la cité.

L'arc de triomphe, destiné à exalter la gloire de Rome, se dressait sur une voie à l'entrée de la ville. Celui d'Orange, toujours debout, célèbre les victoires de la IIe légion.

Pendant le Haut-Empire, ce
périmètre est rarement matérialisé par une enceinte.
Moins de vingt villes, surtout des colonies, telles
Arles, Fréjus, Nîmes ou Vienne, ou des cités depuis
longtemps fidèles à Rome, comme Autun, ont obtenu
de l'Empereur le droit de rempart. L'enceinte exprime
aux yeux de tous la puissance de la cité, la confiance
dont Rome l'honore et, de façon plus pratique, mais
peut-être moins importante en cette période paisible,
sa capacité à protéger ses citoyens. Les murs sont le
plus souvent construits en petit appareil et leur tracé
s'adapte aux courbes de niveau, se développant sur
de grandes distances : plus de 7 km à Vienne, où
cinquante tours rythment le parcours. Des portes
monumentales, bâties en grand appareil, marquent
théâtralement l'entrée de la ville. Certaines villes
dépourvues de remparts éprouvent aussi le besoin de
«mettre en scène» l'entrée de la cité, en y dressant
portes ou arcs triomphaux.

Un monde nouveau

Passée la porte, la ville s'étend sur une superficie
qui varie entre 50 et 70 ha pour les petites
agglomérations et 150 et 200 ha pour les grandes.
On est bien loin des 2 000 ha que couvre Rome !

En entrant dans la ville, le voyageur gallo-romain
explore un monde nouveau. Très souvent, les villes
gallo-romaines ont été créées de toutes pièces, sur un
site vierge. C'est le cas d'Amiens, de Carhaix, de
Limoges ou d'Autun, fondée vers 15 av. J.-C. pour
remplacer l'ancienne capitale éduenne, Bibracte.

L'arc de triomphe de Saintes marque l'aboutissement de la grande voie d'Agrippa qui menait de Lyon à Saintes. Son donateur, le riche C. Julius Rufus, prêtre de Rome et d'Auguste à l'autel fédéral, le dédia vers 18-19 à Tibère, Germanicus et Drusus.

Son nom latin, Augustodunum, rappelle clairement son origine. Ailleurs, à Besançon, à Bourges, la ville se développe sur des sites qui avaient déjà connu une forme de vie urbaine, puisque l'*oppidum* des Bituriges, Bourges, passait pour une des plus belles villes de Gaule. Mais les cités gallo-romaines, devenues le centre de la *civitas*, diffèrent complètement de ces agglomérations préromaines.

L e quadrillage régulier d'Autun s'inscrit à l'intérieur d'une enceinte augustéenne de plus de 6 km, ponctuée de 54 tours circulaires.

La ville s'installe sur un site qu'elle remodèle par des travaux de terrassement souvent titanesques

Lorsque les circonstances s'y prêtaient, comme à Bourges, Besançon, Arles, Autun ou Paris, les ingénieurs topographes ont défini un plan régulier, où les axes se croisent à angle droit. Bien souvent, une colline, un cours d'eau, l'implantation d'un édifice viennent bouleverser la régularité des îlots déterminés par les rues.

Celles-ci, larges – de 4 à 6 m – et solides, permettent aux véhicules de circuler jusqu'au cœur de la cité. Parfois dallées, plus fréquemment couvertes de silex, de galets ou de gravillons, leur profil est bombé pour faciliter l'écoulement des eaux, dans des caniveaux en bois profonds de 60 cm, comme à Amiens, ou dans les égouts qui suivent généralement le tracé de la rue.

Le long des rues, des portiques à colonnades doublent la largeur de la chaussée. Ils abritent les trottoirs et les façades des maisons sur lesquelles ils prennent appui, et protègent les flâneurs de la pluie et du soleil.

Rome ne fut pas bâtie en un jour, les villes gallo-romaines non plus

En progressant dans la ville, le voyageur traverse de vastes chantiers de construction,

acqueduc

acqueduc

0   100   1000 m

d'où surgissent peu à peu, au cours des Ier et IIe siècles apr. J.-C., des monuments publics, construits d'après des plans romains et selon des techniques romaines. L'*opus caementicium*, solide et assez peu onéreux, est ainsi utilisé pour bâtir la plupart des remparts, des monuments de spectacle, des thermes ou des acqueducs. Il s'agit d'un blocage de pierrailles liées au mortier à chaux, caché par des parements de moellons en petit appareil. Le grand appareil, formé de grands blocs de pierre taillés, est plutôt choisi pour édifier les temples, les portes et les arcs.

A Saint-Bertrand-de-Comminges, des thermes, situés à 150 m au nord du *forum*, furent édifiés à la fin du Ier s. et dans la première moitié du IIe.

Toutes les rues sont loin d'être aussi bien aménagées : les rues dallées, le trottoir surélevé, le caniveau et l'égout sont réservés aux plus grandes villes.

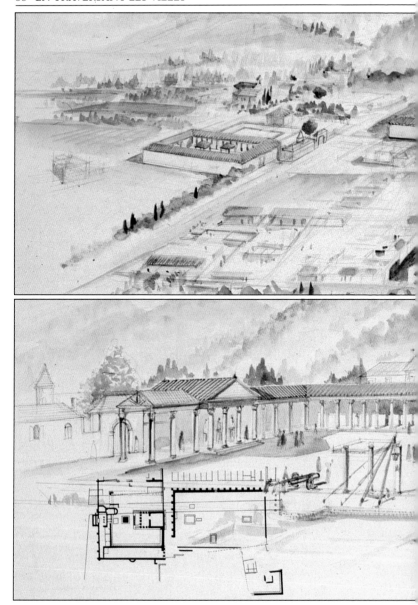

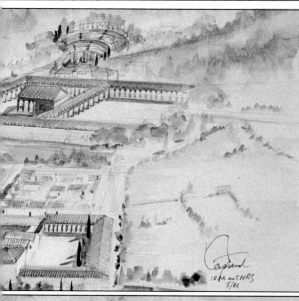

Lugdunum Convenarum (Saint-Bertrand-de-Comminges) est le chef-lieu de la cité des Convènes, fondé vers 72 av. J.-C. Pour marquer ses victoires, Auguste y éleva vers 25 av. J.-C. un trophée. La ville se dota ensuite d'un temple, d'un *forum*, puis d'une basilique, de thermes, d'un marché, d'un théâtre.

Le temple en calcaire de type classique est entouré de portiques sur trois côtés et, dans cette forme ancienne du *forum*, il ne donne pas sur la place. Au centre de la cour du sanctuaire se dresse un autel où s'accomplissent les rites du culte impérial.

Partout dans l'Empire romain, notre voyageur retrouverait ces édifices qui constituent le cadre prestigieux des nouvelles fonctions administratives, politiques, religieuses et sociales de la ville gallo-romaine.

Au cœur de la cité, le «forum»

Le *forum* concentre sur quelques centaines de mètres carrés toutes ces fonctions essentielles, développées par le pouvoir romain avec la collaboration des élites locales.

Autour d'une vaste place bordée de boutiques, s'ordonnent la basilique, où se règlent les affaires judiciaires ou commerciales, le temple, consacré à Rome, à l'Empereur ou à un dieu romain, et la curie, où siègent les décurions. Une riche parure ornementale, les statues de l'Empereur, de magistrats généreux, des inscriptions honorifiques ajoutent encore au faste et au prestige de ce lieu, où les citadins aiment à se retrouver pour célébrer les cérémonies religieuses ou civiques, discuter de leurs affaires ou de celles de la cité, faire quelques achats ou simplement flâner...

L e portique qui entoure le *forum* en surface est parfois doublé, sous terre, d'un cryptoportique. Servait-il de magasin, de frais promenoir, de vide sanitaire? Celui d'Arles, disposé en U, est long de près de 89 m.

L'évergétisme au service de la ville

Parmi tous les monuments publics, ce sont sans doute les édifices de spectacle qui ont le plus durablement marqué le paysage urbain. Beaucoup d'entre eux nous sont parvenus, et certains ont retrouvé leur vocation première : théâtre d'Orange, arènes d'Arles, de Nîmes...

Leur ampleur, la complexité de leur équipement (*velum*, rideau de scène), la somptuosité de leur ornementation (parements de marbre, statues de bronze, d'argent), sans parler du coût des spectacles eux-mêmes, nécessitent pour leur érection une mise de fonds considérable, dépassant de très loin les maigres revenus de la ville, à laquelle Rome ne permet pas de lever l'impôt pour son propre compte. C'est donc aux citoyens fortunés, aux magistrats municipaux soucieux de leur popularité, ou même à l'Empereur, que revient l'honneur de construire, de restaurer et d'embellir ces édifices, et tous les monuments publics de la ville en général. Le souvenir de la générosité de C. Julius Rufus est ainsi conservé par des inscriptions sur les monuments qu'il a fait construire de ses propres deniers et offerts à la cité : un arc pour la capitale de sa *civitas*, Saintes, et, lorsqu'il était délégué des Santons et grand prêtre à l'autel du Confluent, un amphithéâtre à la ville de Lyon. Vers 120, Hadrien marque son attachement aux Nîmois en leur offrant une basilique.

Temple romain dédié, au début du Ier s., à Lucius et Gaïus, petits-fils d'Auguste, la Maison carrée de Nîmes est, selon Stendhal, comme « le sourire d'une personne habituellement sérieuse ».

Temple ou bibliothèque?

A Nimes, cette b⟨ell⟩ salle voûtée, construite sous le r⟨è⟩ d'Auguste, est traditionnellement nommée temple de Diane. Mais l'architecture intérieure n'est pas celle de la *cella* d'u⟨n⟩ temple, où les fidèl⟨es⟩ n'ont pas accès; c'es⟨t⟩ au contraire le rich⟨e⟩ décor d'un lieu pub⟨lic⟩. Douze niches perce⟨nt⟩ les murs; peut-être rangeait-on livres e⟨t⟩ rouleaux : le templ⟨e⟩ serait une biblioth⟨èque⟩ publique… Préserv⟨é⟩ jusqu'en 1562 par l⟨es⟩ bénédictines qui l'occupaient, le tem⟨ple⟩ de Diane s'est ensu⟨ite⟩ rapidement dégradé

Du gladiateur au toréador

L e règne des Flaviens (69-96) est marqué en Gaule par une grande vague de constructions, qui se perpétuera au IIe s. C'est au cours de cette période que fut édifié l'amphithéâtre de Nîmes. 21000 spectateurs pouvaient s'asseoir autour de son arène de plus de 69 m dans sa longueur. On est bien loin de la capacité du Colisée, édifié à Rome sous le règne de Vespasien pour accueillir environ 50000 spectateurs. Les fouilles effectuées sous la piste ont mis au jour des fossés, vestiges d'installations destinées à accueillir les machineries et les cages des fauves. Aujourd'hui, les arènes de Nîmes ont retrouvé leur vocation première, puisqu'elles sont le cadre de corridas et de courses de vachettes.

Les théâtres

Les plus anciens monuments de spectacle sont les
théâtres. Les premiers d'entre eux furent édifiés dès
le principat d'Auguste, à la fin du Iᵉʳ siècle av. J.-C.,
souvent dans des colonies, dont le public fortement
romanisé pouvait mieux apprécier les spectacles
du répertoire latin. Les théâtres de Gaule
reproduisent fidèlement dans leur structure les
schémas italiens : une *cavea* semi-circulaire accueille
les spectateurs, un *frons scaenae* ou mur de scène
richement décoré s'élève derrière la scène qui
domine l'*orchestra*.

Les amphithéâtres

A ccessoire et décor
de théâtre, le
masque, tragique ou
comique, orne aussi
maints sarcophages et
objets de la vie
quotidienne.

Si on rencontre plus de la moitié des théâtres dans
des agglomérations secondaires ou même en pleine
campagne, les amphithéâtres sont en revanche
essentiellement urbains. Leur imposante masse ovale

se dresse un peu à l'écart du centre. Vers la fin du Iᵉʳ siècle et au IIᵉ siècle, des dizaines de cités se dotent d'amphithéâtres en dur, pour recevoir des jeux qui avaient pu jusque-là se dérouler en plein air, sur le *forum*, ou dans des structures légères.

Deux odéons, à Lyon et à Vienne, quelques cirques, à Lyon, Arles, Vienne, Saintes et Trèves, complètent l'inventaire des monuments de spectacle, mais pas celui des édifices publics de la cité gallo-romaine, auquel il faut ajouter marchés, bibliothèques, prisons, et surtout monuments des eaux.

Les monuments des eaux

Les villes gallo-romaines consomment en effet beaucoup d'eau. Parce qu'elles rassemblent hommes et bêtes par milliers, bien sûr, mais aussi parce qu'elles calquent leur mode de vie sur celui

L e théâtre d'Orange, sans doute édifié sous le règne d'Auguste, est le mieux conservé de tout le monde romain. Le mur de scène garde encore une partie de son riche décor, dominé par la statue de l'Empereur.

L' amphithéâtre d'Arles fut bâti sous Néron ou Vespasien. Son mur extérieur s'élevait alors sur trois niveaux, rythmés chacun de 60 arcades. Au troisième niveau, un *velum*, grande toile tendue entre des mâts au-dessus des gradins, protégeait sans doute le public des ardeurs du soleil.

des cités latines, où l'eau jaillit partout : dans les
thermes, les fontaines, les jardins et les palais…

Pour satisfaire ses besoins en eau, le citadin peut
recueillir l'eau de pluie dans une citerne, aller la
chercher à la source ou à la rivière, ou creuser un
puits dans sa cave, mais il comptera surtout sur l'eau
des fontaines publiques, qu'un aqueduc va chercher
hors de la ville, parfois à plus de 20 km à vol d'oiseau.
A Lyon, au début du IIe siècle, quatre aqueducs
courent sur 200 km pour déverser dans les citernes et
les châteaux d'eau 75 000 m^3 d'eau par jour. Du
château d'eau, des canalisations maçonnées, des
tuyaux de plomb, de terre cuite ou de bois conduisent
l'eau vers les fontaines publiques, premières servies,
puis vers les thermes et les autres monuments
publics, et enfin dans la demeure de quelques rares
privilégiés, des édiles probablement.

Maisons, boutiques et ateliers

Les monuments occupent dans les villes gallo-
romaines une place importante, qui varie d'ailleurs
beaucoup selon la taille et la richesse de la *civitas* ;
leurs vestiges éclipsent encore aujourd'hui ceux
d'installations plus modestes, pourtant constitutives
du tissu urbain : les maisons, les boutiques et les
ateliers. Au sein des îlots, les immeubles abritent

A la fin du IIᵉ ou au début du IIIᵉ s., de nouveaux thermes sont construits à Paris, qui en compte déjà au moins deux, à l'est et au sud de la ville. Le *frigidarium* des thermes de Cluny est aujourd'hui la mieux conservée de toute les salles, qui couvrent au total 6500 m².

S ous le sol du *caldarium* (salle chaude) et du *tepidarium* (salle tiède) des thermes, soutenu par des pilettes de briques, l'air chaud dégagé par un foyer extérieur circule, et se répand verticalement par les *tubuli* en terre cuite noyés dans les murs (dessin de la page de gauche).

petits logis et grandes maisons, tandis que les
éventaires des marchands s'installent sous les
portiques ou dans les boutiques, construites le long
des voies, comme la rue des Boutiques à Vaison,
autour du *forum* ou des places. A Lyon, rue des
Farges, des boutiques en adobe, décorées d'enduits
peints, s'élèvent ainsi dès l'époque augustéenne sur
un des côtés d'une grande place. Peut-être s'agissait-il
de commerces fournisseurs de l'armée.

Les ateliers des tabletiers, des forgerons, des
tanneurs ou des bouchers, présents au cœur de la
ville, sont aussi parfois regroupés au sein d'un
quartier artisanal, souvent situé un peu en dehors de
l'agglomération. A Saint-Romain-en-Gal, quartier
suburbain de Vienne, une véritable zone artisanale
réunit sur plus de 6000 m² ateliers de teinturiers,
de tanneurs, boutiques et vaste marché couvert.

Les citadins

La cité n'est pas seulement un agrégat d'édifices et de
maisons dont le visage change selon les régions, les
traditions, la taille et la richesse. C'est le cadre de vie
de près de 10 % de la population gallo-romaine. Au
IIe siècle, à une époque où Rome compte près d'un
million d'habitants, les plus grandes villes du pays
– Narbonne, Lyon, Nîmes, Toulouse, Autun, Reims,
Trèves – n'en rassemblent que 20000 à 30000.

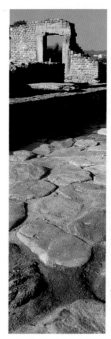

M archand de vin bourguignon affairé à son comptoir.

Selon de
prudentes
estimations,
une vingtaine
d'agglomérations
moyennes regroupaient
chacune de 5000 à 20000
citadins, et une multitude de
petites, de 5000 à 6000.

Patriotisme urbain et paix sociale

Dans de si petites communautés,
chacun connaît l'autre... Le notable,
l'artisan, le marchand ou même
l'affranchi se retrouvent familièrement
aux thermes, sur le *forum*, sur les gradins
de l'amphithéâtre... Ces rencontres dans
des cadres souvent somptueux renforcent,
malgré les inégalités sociales, la solidarité
collective et le sentiment patriotique des
citadins. Pour les plus fortunés, cet attachement
à la cité se traduit par le souci de l'embellir, de la
doter de tous les équipements et édifices qui font la
véritable ville romaine. Les simples citoyens,
lorsqu'ils le peuvent, auront à cœur de faire
mentionner sur leur pierre tombale le nom de leur cité.

La très riche maison
des Messii, à
Vaison, s'étend sur plus
de 2000 m². Encore
n'a-t-elle été que
partiellement fouillée !

Agriculteurs expérimentés, les Gaulois font découvrir à leurs vainqueurs la charrue, la moissonneuse, l'amendement des sols… Très vite, ils acclimatent la vigne dont les meilleurs crus seront fort goûtés à Rome. Surtout, la Gaule constitue, comme l'Espagne ou l'Egypte, un grenier à blé où le vainqueur puise abondamment pour nourrir ses armées.

CHAPITRE III
EN PARCOURANT LES CAMPAGNES

A la campagne, les habitations, les *villae*, peuvent être aussi luxueuses que certaines maisons des villes. Leur aspect extérieur nous est familier grâce à la peinture murale trouvée à Trèves ou aux «stèles-maisons» du nord-est de la Gaule, qui sont de véritables modèles réduits.

La majorité des Gallo-Romains sont agriculteurs, mais, paradoxalement, le paysage rural nous est beaucoup moins familier que le paysage urbain

Depuis la conquête, le cadre naturel lui-même a bien sûr peu changé, mais le paysage a été réorganisé et structuré par Rome, à des fins fiscales. Les terres des pays conquis avaient été confisquées en faveur du peuple romain et déclarées *ager publicus*. Afin de les recenser, de les répartir, afin d'établir l'impôt ou les taxes dues sur les terres concédées, l'*agrimensor* romain (géomètre) établit le cadastre. Les terres y sont réparties en centuries, carrés de 50 ha. Dans les colonies, les meilleurs lots, exonérés d'impôt, sont attribués aux vétérans; d'autres, laissés à la cité, sont loués aux indigènes et soumis à l'impôt; d'autres encore reviennent à l'Etat romain. Enfin, les terres incultes restent hors du cadastre, sans attribution précise. On connaît bien la cadastration de la Narbonnaise grâce aux nombreux vestiges (restes de murets, chemins…) subsistant dans les environs de Béziers, de Narbonne,

L e cadastre d'Orange, affiché sur le *forum*, indiquait à chacun comment étaient découpées et réparties les terres. Des notations géographiques permettent de s'y retrouver : on reconnaît ici le cours du Rhône.

d'Arles, de Valence… et surtout grâce aux fragments
du cadastre d'Orange.

Dans les Trois Gaules, on n'est pas sûr que la
cadastration ait été aussi systématiquement
appliquée. On en a toutefois repéré de nombreux
vestiges en Alsace, en Champagne (autour de Reims),
en Bourgogne, en Belgique, en Bretagne (Plouaret).
Matériellement, le cadastre est implanté sur deux
axes perpendiculaires, le *cardo* et le *decumanus*,
termes que l'on retrouve pour désigner les rues
principales des villes.

La densité d'occupation des terres, la part exacte
des célèbres forêts de la Gaule chevelue, restent
difficiles à évaluer puisque la recherche archéologique
est diversement intense selon les régions. Il semble
cependant qu'à partir du milieu du Iᵉʳ siècle apr. J.-C.,
période où le nombre des *villae* recensées augmente
beaucoup, l'occupation des sols cultivables soit dense
et homogène.

La taille des domaines, même dans les régions où
l'on a repéré de nombreuses *villae*, est très difficile à
préciser : une *villa* pour 77 ha sur la commune de
Lion-en-Beauce, une pour 180 ha à Levroux (Indre),
une pour 137 ha dans la région d'Alet en Bretagne, et
une *villa* pour 50 ha en Lorraine (50 à 80 cultivés).
Mais si 1 000 ha sont cultivés pour le domaine de
Chiragan, 200 seulement le sont pour le domaine de
Saint-Ulrich (Moselle), où la *villa* (117 pièces) est
pourtant aussi grande que celle de Chiragan.

L e quadrillage
de l'*agrimensor*
(géomètre) est sensible
même dans la
disposition du *vicus*,
ci-dessous. Le
sanctuaire, en haut
à gauche, qui présente
une orientation
différente, existait
avant l'époque
romaine.

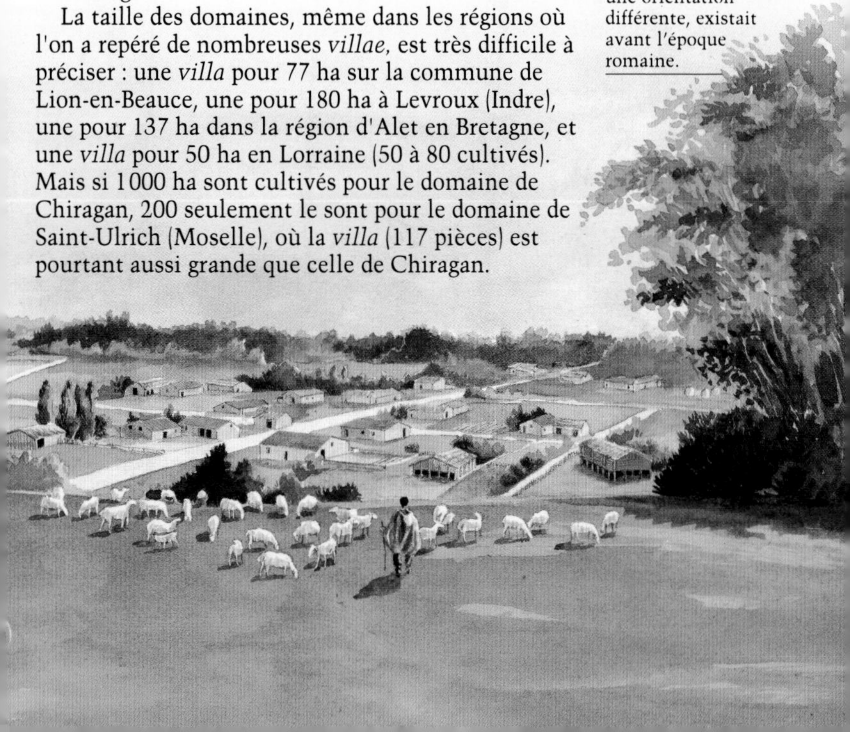

Au cœur des campagnes, la «villa»

Au centre du domaine (le *fundus*), la *villa* est un autre symbole de la domination romaine sur les campagnes. Ensemble complexe, la *villa* peut se définir comme deux groupes de constructions établies autour de deux cours fermées : l'habitation *(pars urbana)*, et les bâtiments d'exploitation *(pars rustica ou pars agraria)*.

La taille et le plan de ces deux parties peuvent varier profondément, reflétant la richesse de l'exploitation et l'aire géographique où la *villa* est bâtie. La question de l'origine indigène des *villae* ne peut pas toujours être tranchée. Certaines en tout cas ont succédé à un établissement précédent. A l'Etoile-la-Tranquille (Somme), de nombreux trous de poteaux révèlent l'existence d'une ferme gauloise, antérieure à la *villa* gallo-romaine précoce qui a été construite sur le même site. L'exemple de la *villa* de Mayen, dans la vallée du Rhin, est tout à fait remarquable en ce que, dans ses états successifs, elle a gardé en son centre la forme de la ferme indigène d'origine, en conservant le foyer à la même place.

Si l'on étudie le plan de la «pars urbana» des «villae», trois grands modèles se dégagent, correspondant à trois aires géographiques

En Gaule belgique et partiellement en Lyonnaise, l'habitation est, comme sur une peinture murale de Trèves, disposée en longueur à l'entrée de la première cour, avec éventuellement une galerie de façade encadrée de deux pavillons d'angle.

Dans le Sud, Narbonnaise et Aquitaine, la variété règne, mais les propriétaires ont souvent aimé posséder un péristyle à la romaine (comme dans la *villa* de Chiragan), et imiter la splendeur de la *villa* romaine, comme à Saint-Emilion.

En Gaule celtique, en Bourgogne et Vendée surtout, les *villae* sont de types divers : le plan carré (les Têtes-de-Fer à Grimault dans l'Yonne) s'ajoute à ceux qui plaisent dans les autres régions. Les propriétaires-exploitants de ces domaines vont, avec peut-être un peu de retard sur ceux des villes, adopter les

E n haut de cette maquette représentant une *villa*, la *pars urbana*, avec sa colonnade, s'ouvre sur un jardin. Elle est séparée de la *pars rustica*, où les bâtiments agricoles s'alignent autour de la cour.

techniques de construction romaine : semelle sous les constructions à pans de bois, utilisation du mortier, murs maçonnés, couverture de tuiles, chauffage par hypocauste pour les thermes privés… Ils ne se feront pas prier non plus pour décorer leurs demeures : statues et bustes de marbre à la *villa* de Chiragan, peintures murales et mosaïques à Saint-Emilion et Saint-Ulrich, bassins d'agrément…

La *pars agraria*, nécessairement toujours plus simple, est loin d'être aussi bien connue sur le terrain. Une dizaine de *villae* seulement ont fait l'objet d'une fouille complète : celles de Chiragan, des Têtes-de-Fer, de Guiry-Gadancourt (Val-d'Oise)… et même alors la destination des bâtiments découverts autour de la cour agricole n'est pas facile à établir, bien qu'on en connaisse, par Columelle *(De rustica)*, la liste habituelle : étables, écuries, poulaillers, remises à chariots, greniers, séchoirs à céréales, granges, fruitiers.

Des entraves de fer, trouvées dans plusieurs *villae*, prouvent la réalité de l'esclavage en Gaule : dans les fermes, mais aussi dans les mines. Déjà avant la conquête, les Celtes pratiquaient l'esclavage. Selon Diodore, «ils achetaient un esclave pour une mesure de vin».

Les hommes des champs

Les fermiers, locataires sur les grands domaines, habitent souvent dans les *vici* agricoles. Aux abords de ces petites agglomérations, un *conciliabulum*, sanctuaire régional où se retrouvaient les habitants d'une ou deux *civitates* pour célébrer un culte et assister à des représentations théâtrales, assurait la continuité du lieu sacré ancestral.

Le propriétaire-exploitant vit dans sa *villa* et travaille lui-même ses terres, avec sa famille et sans doute quelques ouvriers agricoles, libres ou non. La taille et le luxe de la *villa* donnent la mesure de l'aisance de ce petit propriétaire qui tire ses ressources de la vente, par l'intermédiaire du marché du *vicus* de ses productions. Maints reliefs funéraires nous mettent face à ces paysans au costume traditionnel, tunique et vaste manteau à capuchon. Exploitants indigènes ou colons, bien que ne bénéficiant pas des mêmes droits, devaient mener le même genre de vie.

En revanche, le riche propriétaire foncier, toujours un homme libre, parfois un notable de sa cité, possède une magnifique *villa*, mais aussi une demeure en ville; il fait cultiver ses terres par ses employés, les colons, sous l'autorité d'un régisseur, le *villicus*. Son style de vie est très différent de celui des petits fermiers, occupé qu'il est entre ses charges citadines, ses tournées d'inspection sur ses terres et ses loisirs, où la chasse tient la première place :

Ce paysan gallo-romain du Vaucluse est vêtu de la tunique courte des travailleurs, relevée par une ceinture à la taille, et d'un *cucullus* dont le capuchon est rabattu dans le dos.

Le *vicus* était l'intermédiaire indispensable entre le domaine agricole et la ville. S'y installaient des artisans qui bénéficiaient des circuits du marché pour écouler leurs produits, à la fois vers la ville et vers la campagne.
Ci-dessous une hypothèse de restitution de la grande rue du *vicus* de Mediolanum, le Mâlain moderne.

CNRS DIJON 1988   5 M

à tel point qu'un riche Lingon, dont le testament nous est parvenu, voulut qu'on dépose avec lui sur le bûcher tout son attirail de chasse.

Comme dans toute société antique, le travail de la terre occupe la majorité de la population

La Gaule indépendante avait atteint à une agriculture élaborée qui faisait l'admiration des Romains. La qualité de l'outillage, aussi bien que les façons culturales, ont été vantées par les auteurs latins, Pline l'Ancien en particulier.

C'est en Gaule que sont apparues les deux plus anciennes machines agricoles : la charrue et la moissonneuse. Pour la charrue, les témoignages sont uniquement littéraires, les représentations qui nous sont parvenues ne nous montrant que des araires. Tiré par deux bœufs, l'araire est dirigé par un paysan qui appuie sur le mancheron.

Hors des vastes domaines où les moissonneuses pouvaient être utilisées, le paysan avait à sa disposition des instruments d'excellente qualité, déjà mis au point par les forgerons de la période précédente, faucilles, et grandes faux dites celtiques en particulier, qui, se maniant à deux mains, étaient très efficaces pour le fauchage des prés. L'outillage pour le travail de la terre était varié, de bonne qualité, et assez perfectionné pour s'être perpétué sans grand changement jusqu'à nous : houes, herses à dents, bêches, herminettes, sarcloirs, pelles, rateaux.

Parallèlement à l'outillage, les Gallo-Romains avaient mis au point des techniques d'amendement des sols : aux terres trop acides, on ajoutait de la chaux (chez les Eduens, par exemple), tandis que les terres pauvres étaient améliorées par des apports de marne; Pline a observé cette technique chez les Belges.

L'outillage agricole des paysans gallo-romains ne semble guère avoir changé jusqu'à nos jours.

Une déesse de l'Abondance (en haut à gauche), les genoux chargés des fruits de la terre, appelle la fertilité sur le domaine.

Une terre féconde

Les terres de la Gaule étaient réputées fertiles auprès des Romains qui, habitués aux terres plus arides des climats secs, admiraient les récoltes des sols plus arrosés. Les cultures céréalières sont pratiquées partout, elles doivent assurer la triple fonction de l'agriculture : se nourrir elle-même, nourrir les villes, et, surtout pour la Gaule du Nord-Est, nourrir l'armée. La culture des blés, de l'avoine, du seigle exige peu de main-d'œuvre, un ouvrier pour 25 jugères (5 ha) selon Caton, mais ce n'est pas celle qui rapporte le plus.

Attelés à un même joug, aiguillonnés par le laboureur, deux bœufs tirent l'araire qui retourne superficiellement les terres légères. Dans le nord-est de la Gaule, en pays trévire, on laboure des terres plus lourdes à la charrue.

Le tressage des panie

L e calendrier
rustique de la
mosaïque de Saint-
Romain-en-Gal ornai
une riche maison de c
quartier résidentiel de
Vienne. Il nous fait
suivre le déroulemen
des saisons, avec les
travaux qui s'y
rattachent et les fêtes
religieuses qui les
ponctuent. Durant
l'hiver, représenté pa
une vieille femme
assise sur le dos d'un
sanglier, les paysans s
protègent par un chau
cucullus de laine, pou
transporter le fumier
qui engraissera les
terres, pour chercher
l'osier et le porter au
tresseur de paniers.

Le poissage des jarres

Il faut cinq ans à un olivier pour produire Mais après la première récolte, sa culture est d'un bon rapport avec peu de main-d'œuvre, l'essentiel des activités se passant en période creuse (la fin de l'automne). De haut en bas) :
– poissage des jarres à huile, pour les rendre bien étanches;
– cueillette des olives lorsqu'elles sont noires
– pressage dans des presses à levier pour obtenir cette huile appréciée même très loin des lieux de sa production.

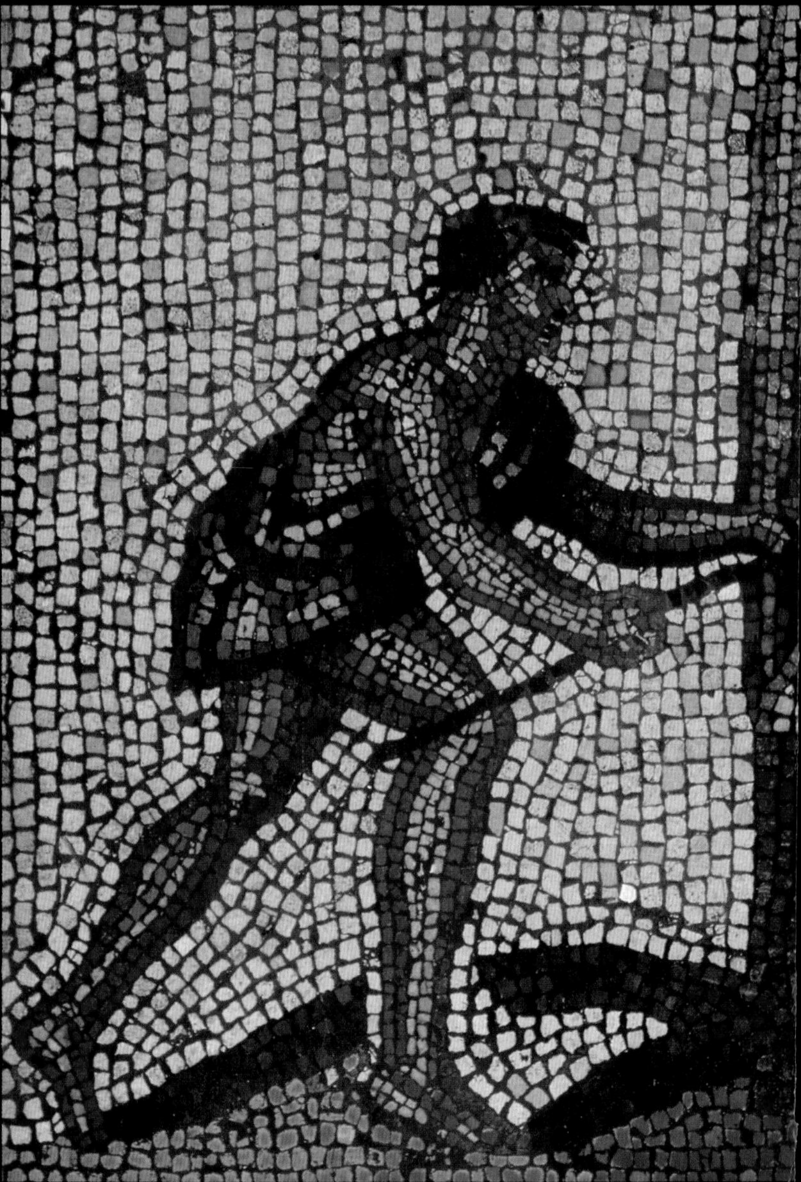

La cuisson du pain

E n hiver, on cuit
le pain que le
boulanger enfourne
avec sa pelle à long
manche, tandis qu'aux
champs on sème les
fèves. Au mois de
janvier, la fête des
Compitalia honore les
dieux Lares, protecteur
de la maison et de
la maisonnée.

Bien plus rentable est la culture de la vigne. Depuis longtemps implantée en Narbonnaise, elle va s'étendre de plus en plus loin en Gaule : au Iᵉʳ siècle dans le Bordelais, au IIᵉ siècle en Bourgogne et au IVᵉ siècle dans le Bassin parisien, au bord de la Moselle et du Rhin. Quelques crus furent célèbres, l'«allobrogique» du nord de la Narbonnaise, et le «biturigique» du Bordelais. La concurrence inquiète les producteurs italiens, et l'empereur Domitien ordonne d'arracher la moitié des vignes des provinces pour cultiver du blé : la mesure ne fut pas suivie formellement, mais l'empereur Probus, au IIIᵉ siècle, acquit la gloire d'avoir «rendu la liberté à la viticulture».

Rentables également, les oliviers se sont étendus – comme les figuiers – jusqu'aux Cévennes. L'olivier est sans doute moins immédiatement fructueux, puisqu'il ne produit pas avant cinq ans, et qu'il exige de grandes surfaces, mais il demande très peu de main-d'œuvre, un ouvrier pour 30 jugères (6 ha) et, comme le vin, l'huile se vend partout.

Tout ce qui touche au vin est mis en valeur en Gaule : ainsi des flacons de verre reproduisent avec art la précieuse grappe.

Les grands espaces cultivés de la Gaule belgique ont favorisé l'invention de la moissonneuse : une caisse de bois, dotée de lames triangulaires coupantes à l'avant, est poussée par un mulet. Les épis, redressés par le moissonneur qui recule devant la machine, sont pris entre les lames et, coupés, tombent dans la caisse.

Les échanges lointains favorisent d'autre part quelques spécialisations régionales, comme la culture du chanvre en Auvergne et en Alsace, ou du lin dans le Berry.

Partout, vergers et jardins fournissent à chacun, directement ou par l'intermédiaire des marchés, fruits et légumes : pommes, poires, cerises, noisettes, pois, carottes, fèves...

L'élevage est florissant : les bovins, dont la taille a augmenté de 25 cm par croisement avec des espèces italiennes, sont utilisés pour le trait et fournissent viande, cuir, lait, fromages, dont certains régalent les gourmets romains. Les ovins, plus nombreux en Corse, dans les montagnes ou dans les Flandres, sont appréciés pour leur viande et leur lait, mais surtout pour leur toison : les lourds manteaux de laine gaulois sont plusieurs fois vantés par Martial dans ses *Epigrammes*. Les porcins depuis longtemps sont estimés de tous pour leur charcuterie qui a conquis le marché romain, de même que les oies de Morinie, dont les foies et le fin duvet sont fort recherchés.

La haute meule de pierre du boulanger est actionnée par un mulet, sous la surveillance du chien de la maison. La farine entre dans la composition de nombreux aliments de base : pain, bouillies, soupes et gâteaux divers...

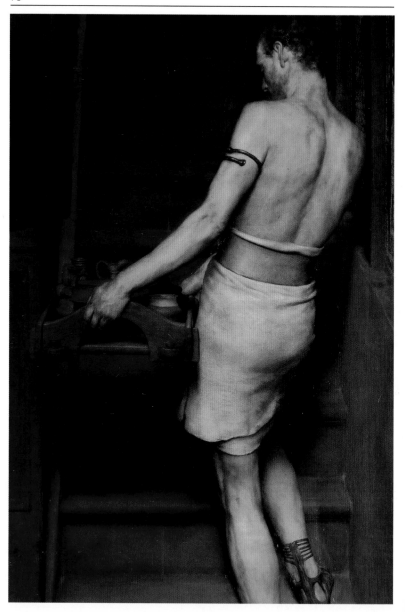

Les artisans de la Gaule travaillent depuis longtemps, et avec bonheur, le bois, le métal et l'argile, mais leurs talents multiples s'expriment aussi à travers des matériaux que les Romains leur ont fait mieux connaître : la pierre, le verre... Les stèles funéraires, par la variété des représentations, nous font pénétrer dans leurs ateliers, dont les fouilles archéologiques ne retrouvent bien souvent que des traces fugitives, même si elles livrent par ailleurs outils et objets finis en quantité.

CHAPITRE IV

CHANTIERS ET ATELIERS DE LA GAULE ROMAINE

Le tabletier, habile à travailler l'os, l'ivoire et le bois de cerf, a sculpté ce manche de canif au décor exotique : un singe y chevauche un lion. A gauche, un potier prépare ses productions pour la vente.

L'artisanat, déjà riche avant la conquête, se développe et s'organise sous l'influence de Rome

En Gaule transalpine déjà, les divers corps de métier étaient regroupés en corporations, associations professionnelles chargées de défendre les traditions, d'assurer une sépulture à leurs membres et de veiller à ce que le culte soit régulièrement rendu à la divinité patronne. Très vite, cette habitude de se grouper va se généraliser et, dans les Trois Gaules également, les corporations seront nombreuses, surtout dans les métiers du bâtiment.

Gaïlus, fils de Getulus, charpentier, et

Les chantiers qui s'ouvrent dans toute la Gaule fournissent de l'ouvrage à de nombreux corps de métiers, et notamment aux artisans du bois

Le travail du bois, traditionnel dans un pays couvert de forêts, avait conduit à des réalisations remarquables : les navires des Vénètes, admirés par César, les tonneaux… Toutefois la majorité des arbres, abattus par les bûcherons à la hache et à la scie, étaient destinés à la construction : ossature des bâtiments à pans de bois, charpentes, planchers…

Contrairement à ceux du bois, les ouvriers de la pierre étaient de nouveaux venus en Gaule

A l'école des artisans italiens, les Gaulois se sont très vite instruits et ont maîtrisé rapidement les nouvelles techniques, les utilisant pour améliorer les façons traditionnelles – une semelle maçonnée isole un mur en pisé de l'humidité – ou les adoptant pour construire à la romaine. L'exploitation des carrières se fait à ciel ouvert ou en galeries. Le carrier utilise des fissures naturelles ou creuse des saignées dans la pierre pour y enfoncer des coins de fer ou de bois qu'il

quelques-uns de ses outils : la tarière à mèche, le ciseau, la gouge et la scie.

Transport d'un tronc, à l'aide de cordages, par les dendrophores.

mouille afin de détacher les blocs. Des traces de ce travail sont encore visibles dans la bien carrière antique de Saint-Boil (Saône-et-Loire). Les blocs sont spécialement préparés lorsqu'il s'agit de sortir une ébauche de colonne, dans les carrières de marbre de Saint-Béat (Haute-Garonne), par exemple. Les gros blocs glissent sur une rampe ou des rails en bois pour sortir de la carrière, avant d'être transportés par voie d'eau ou par de lourds chariots. Dans la mesure du possible, pour éviter des transports difficiles, on exploite les carrières proches du chantier de construction.

À l'arrivée des blocs sur le chantier, le tailleur de pierre entre en action. Son outillage, le même que celui des tailleurs actuels, est adapté à la dureté des différentes roches. Il scie les blocs, les équarrit et dégrossit les parements à la smille, puis au têtu ou à la polka. La finition se fait avec divers ciseaux dont on voit souvent la trace à la surface des blocs : la gradine à tranchant dentelé, le ciseau droit à tranchant rectiligne. Les parties décorées étaient

Autres outils de charpentier : hache, compas, herminette, ciseau.

préparées à l'aide de pointes, ciseaux fins, gouges, qui esquissent les volumes des chapiteaux, des moulures, par exemple, mais elles n'étaient terminées qu'une fois le bâtiment construit.

Massette, équerre, niveau, herminette et compas appartiennent à la panoplie du tailleur de pierre.

Le maçon chargé d'élever les murs dispose d'un matériau remarquable, qui lui permet de travailler avec rapidité et assurance : le mortier

Celui-ci était composé, selon la recette de Vitruve, de chaux et de sable, parfois additionnés de tuileaux. Les murs sont montés, sur de larges fondations, en deux parements extérieurs de petits moellons appareillés, dits petit appareil, entre lesquels on bourre un mélange de pierres brutes, de débris divers, liés au mortier. Pour améliorer l'aspect des façades, les joints entre les pierres sont parfois soulignés au fer rond ou avec le tranchant de la truelle. A la fin du Ier siècle, les maçons introduisent, toutes les quatre ou cinq assises de pierres, des arases de briques qui, traversant le mur dans sa largeur, d'un parement à l'autre, assurent souplesse et cohésion à l'ensemble.

Les arases de briques, visibles sur ce mur de Thésée, relient

Pour la décoration intérieure, le stucateur et le peintre succèdent au plâtrier

Leurs assistants préparent la paroi et le stucateur moule et sculpte dans le plâtre frais des motifs qu'il rehausse de couleurs; ou bien le peintre réalise des

solidement les parements entre eux, et assurent un effet décoratif.

décors figurés sur le fond de couleur passé par son aide. Le décor des murs s'harmonise, dans les pièces de réception, avec la mosaïque du sol, réalisée tesselle par tesselle.

On s'aperçoit, depuis quelques années, que les demeures bâties à la romaine, avec des murs maçonnés, n'étaient pas les seules à avoir le privilège d'un riche décor. Nombre de maisons luxueuses du Ier siècle, telle la Maison des Dieux océans, à Saint-Romain-en-Gal, étaient construites selon les techniques traditionnelles, avec des murs de torchis ou de pisé, simplement améliorés par la présence d'une semelle maçonnée.

L'argile dans tous ses états

Travaillée à cru pour l'adobe, le torchis et le pisé, l'argile est utilisée cuite dans la construction de type romain. Divers éléments des maisons

Une équipe travaille au décor d'un mur, à Sens : un maçon gâche le mortier; sur un échafaudage, son compagnon étale de l'enduit avec une taloche; derrière lui, un peintre réalise le décor au pinceau sur l'enduit encore frais.

A Narbonne, une vaste demeure se distinguait par le luxe de ses mosaïques et de ses peintures. A la fin du IIe siècle, l'une des pièces fut ornée de fresques, où les personnages se tiennent dans un décor architectural de marbres précieux. Ces fresques s'inspirent de modèles mis au point en Italie, et particulièrement bien connus par les découvertes de Pompéi. Les spécialistes y distinguent plusieurs styles successifs, copiés et interprétés dans tout l'Empire.

peuvent être en céramique : les tuiles de couverture (tuiles plates à rebords et couvre-joints), les briques de chaînage, les pilettes et les tubulures d'hypocaustes... La fabrication de ces diverses pièces, moulées, exige la construction de fours de grande taille, dans des officines spéciales ou en annexe à des ateliers de potiers.

L'argile servait beaucoup et depuis longtemps. Les techniques en étaient bien maîtrisées, cependant les potiers romains ont introduit des nouveautés : le moulage et la cuisson en atmosphère oxydante. Les figurines ou les lampes à huile sont typiques de ces nouvelles techniques. Elles sont fabriquées en série, on peut même dire en grandes séries, dans des moules à deux ou plusieurs valves. Après le séchage des diverses pièces, on les assemble avec une barbotine et on les fait cuire dans des fours, en atmosphère dite oxydante. La fumée du bois de chauffe est canalisée par des tubulures et ne pénètre pas dans le «laboratoire», chambre de cuisson du four. La pâte cuite est, selon la température atteinte, beige, rouge orangée (lampes), ou blanche (figurines) si l'argile employé est du kaolin.

Dans le domaine de la céramique, traditions et nouveautés se côtoient ou se mêlent : la céramique commune, grise, de type indigène, voisine avec celle qui imite la céramique italienne. Les vases avaient des rôles très divers : vaisselle de table, fine ou commune, vaisselle de cuisine, emballage de transport, de stockage… On en faisait une grande consommation. Les officines de fabrication étaient donc très nombreuses et, selon les époques, formes et décors des vases étaient assez uniformes dans toute la Gaule (au Iᵉʳ siècle par exemple), ou au contraire très diversifiés en fonction des régions et même, parfois, selon les ateliers. Certains de ces ateliers étaient spécialisés dans la fabrication d'une céramique particulière dite sigillée, d'origine italienne.

La céramique sigillée était moulée pour les vases ornés, ou simplement tournée pour les vases lisses. Tous étaient ensuite empilés dans des fours parfois très grands. La température de cuisson, provoquant un début de grésage, leur procurait une surface brillante d'un rouge orangé plus ou moins vif. La cuisson et le refroidissement duraient plusieurs jours. Les vases cassés ou défectueux étaient jetés dans de vastes dépotoirs qui font aujourd'hui le bonheur des archéologues (page de gauche).

Le travail des métaux, traditionnel en Gaule, est exercé dans d'innombrables ateliers spécialisés

Les mines, nombreuses et variées, appartiennent, en majorité, au domaine impérial. Elles sont exploitées soit à ciel ouvert, soit par des galeries souterraines, où le travail, rendu très pénible par le peu de hauteur et le manque d'aération, était assuré par des esclaves ou des condamnés. Le métal est extrait sur place et voyage par la suite sous forme de lingots. Les artisans spécialisés, forgerons, bronziers,

La figurine de déesse mère allaitant un enfant a été moulée dans une matrice dont on a retrouvé la valve antérieure (page de gauche en bas).

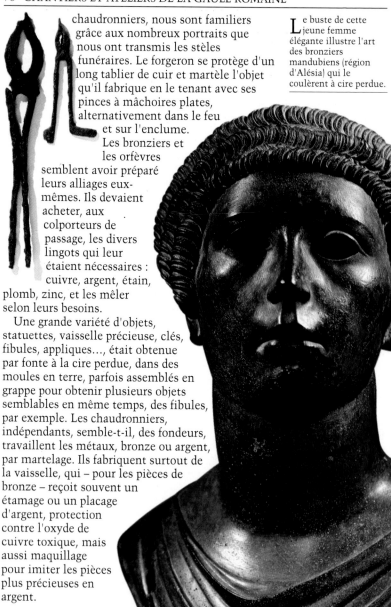

chaudronniers, nous sont familiers grâce aux nombreux portraits que nous ont transmis les stèles funéraires. Le forgeron se protège d'un long tablier de cuir et martèle l'objet qu'il fabrique en le tenant avec ses pinces à mâchoires plates, alternativement dans le feu et sur l'enclume.

Les bronziers et les orfèvres semblent avoir préparé leurs alliages eux-mêmes. Ils devaient acheter, aux colporteurs de passage, les divers lingots qui leur étaient nécessaires : cuivre, argent, étain, plomb, zinc, et les mêler selon leurs besoins.

Une grande variété d'objets, statuettes, vaisselle précieuse, clés, fibules, appliques..., était obtenue par fonte à la cire perdue, dans des moules en terre, parfois assemblés en grappe pour obtenir plusieurs objets semblables en même temps, des fibules, par exemple. Les chaudronniers, indépendants, semble-t-il, des fondeurs, travaillent les métaux, bronze ou argent, par martelage. Ils fabriquent surtout de la vaisselle, qui – pour les pièces de bronze – reçoit souvent un étamage ou un placage d'argent, protection contre l'oxyde de cuivre toxique, mais aussi maquillage pour imiter les pièces plus précieuses en argent.

Le buste de cette jeune femme élégante illustre l'art des bronziers mandubiens (région d'Alésia) qui le coulèrent à cire perdue.

Dans les villes ou leurs faubourgs, plus rarement dans les ateliers du domaine rural, une foule de petits artisans produit les objets de la vie quotidienne

Les archéologues savent de mieux en mieux lire la structure de leurs ateliers et interpréter leur outillage, les déchets, les vestiges et les ratés de fabrication.

Les métiers du tissu et du cuir présentent une importance particulière pour l'habillement, vêtements et chaussures. Les femmes, on le sait, filent et tissent à la maison. Il existait certainement des ateliers de tissage pour satisfaire aux besoins considérables de tous, mais aucun document ne l'atteste. Seules, quelques découvertes archéologiques (des poids de tisserands, alignés, trouvés dans des quartiers artisanaux) peuvent en suggérer l'existence.

L'os, le bois de cerf et, dans une moindre mesure, l'ivoire sont largement utilisés dans des ateliers de tabletterie, pour fabriquer des manches de couteaux décorés, des épingles, de petites boîtes tournées, des amulettes, des pieds de lits... Les ateliers sont repérés grâce à de nombreux déchets inutilisables : tête des os longs, bases des cornes... On en connaît à Lyon, Nîmes, Vienne, Metz pour l'os, Clermont-Ferrand, Saintes pour le bois de cerf.

Le bois, en dehors de son utilisation dans la construction, était aussi beaucoup travaillé par le sabotier, le tonnelier, le charron, le sculpteur, pour la fabrication de nombreux objets de la vie quotidienne, y compris sans doute une partie de la vaisselle commune : écuelles, seaux, cuillers...

Sur la table, les plus belles réalisations des verriers apportent une note de couleur. Des ateliers se sont créés en Gaule, sur le modèle de ceux d'Italie : à Lyon, où était installé un verrier au nom grec, Julius Alexander, en Narbonnaise, en Normandie, en Argonne... A côté de la vaisselle, ils produisent vitres et menus objets : pions de jeux, pendeloques, têtes d'épingles. Quelques bijoux de verre, bracelets, perles de colliers, imitations d'intailles, continuent, comme au temps de l'indépendance, à avoir grand succès auprès des coquettes.

Déposés dans le sarcophage d'une riche Santonne, ces fragiles verreries du Ier siècle nous sont parvenues intactes.

Grâce à l'excellent réseau routier et fluvial, soldats, fonctionnaires, simples particuliers voyagent aisément en Gaule, et les commerçants, colporteurs ou grands marchands, pratiquent leur négoce, parfois «international» : charcuteries et vêtements gallo-romains prennent la route de Rome, tandis que l'huile arrive d'Espagne...

CHAPITRE V
CIRCULER ET COMMERCER EN GAULE

Mercurius viator, Mercurius negotiator, en Gaule, le Mercure romain protège voyageurs et commerçants. Mais, malgré l'étendue de ses pouvoirs, le dieu n'a pas la maîtrise des mers, et ces amphores à vin ont coulé avec le bateau qui les transportait.

Hier comme aujourd'hui, il était mille raisons de voyager. La Gaule n'attire pas de touristes, comme la Grèce ou l'Egypte, mais les armées en mouvement, les empereurs (Auguste séjourne au moins quatre fois en Gaule), les gouverneurs ou les administrateurs en tournée sillonnent le pays en tous sens. Certains métiers, itinérants, lancent sur les routes bergers, potiers, sculpteurs, maçons, artistes et marchands, tandis que les sanctuaires drainent à eux pèlerins et malades.

Des hommes de tous horizons circulent donc aisément en Gaule, et leurs croyances, leur savoir-faire, leurs connaissances et leurs produits se propagent avec eux, contribuant de façon décisive à l'unité et à la richesse de la civilisation gallo-romaine, ainsi qu'au développement de son économie.

S atigenus, fils de Solemnis, a offert cet ex-voto à la déesse Epona pour qu'elle le protège des embûches du voyage.

L a construction d'une grande route, large d'environ 6 m, nécessite le nivellement d'une bande de terrain de 16 à 20 m, et le creusement de deux fossés d'écoulement pour les eaux. Leurs déblais sont utilisés dans les assises de la voie, parfois épaisses de 1 m.

Un soldat de l'armée romaine, l'épée au côté, conduit son chariot à quatre roues, rempli probablement de ravitaillement pour les troupes. Pour tirer cette charge assez légère, des mulets suffisent, les bœufs étant attelés aux chariots les plus lourds.

L'organisation du réseau routier

Les chemins parfois millénaires de la Gaule indépendante avaient facilité la progression rapide des troupes de César. A l'époque, la Gaule transalpine possédait déjà sa fameuse *Via Domitia*, reliant l'Italie à l'Espagne. La conquête achevée, cette ébauche de réseau routier est étendue et organisée par le vainqueur, pour des raisons militaires et politiques : les grandes routes stratégiques, qui permettent aux légions de contrôler le pays et rattachent la province à Rome, sont des voies publiques, souvent ouvertes et entretenues par des soldats. Avant le début de notre ère, Agrippa, gendre et ami d'Auguste, met en place quatre axes principaux, exploitant judicieusement les voies naturelles de

Le manteau, la pèlerine et le capuchon (*cucullus*), peut-être fabriqués à Saintes ou à Langres, constituent la tenue chaude et habituelle du voyageur, et lui permettent d'affronter les rigueurs de la route.

communication. Il leur donne pour point de départ Lyon, la capitale des Trois Gaules. L'un, vers le sud, longe le Rhône et rejoint la *Via Domitia*, le deuxième se dirige vers le nord et le Rhin, le dernier file vers l'ouest jusqu'à Saintes. Bien d'autres routes importantes, vers le nord-ouest, le sud-ouest, se greffent sur ce schéma rayonnant. Les voies vicinales, financées par les cités, renforcent cette trame, complétée par des chemins privés aménagés par des propriétaires terriens.

Connu sous le nom de Table de Peutinger, ce précieux parchemin médiéval est la copie d'une carte antique du monde romain. L'original, qu'on suppose être la carte d'Agrippa, fut mis à jour jusqu'aux IIIe ou IVe s. : il révèle noms de villes, de provinces, itinéraires, distances… avec bien des erreurs et des incertitudes.

Voies romaines et chemins de terre : un réseau diversifié

Le voyageur emprunte donc des routes, en général rectilignes, dont la structure varie beaucoup, selon leur importance, la quantité de circulation qu'elles doivent supporter, la nature du terrain traversé : large route surélevée, bombée, solidement assise sur d'épaisses fondations, empierrée ou dallée, doublée de fossés de drainage, chaussée empierrée, gravillonnée, simple chemin de terre… S'ils ne peuvent être évités, les obstacles naturels – rivières, montagnes – sont franchis par des ouvrages d'art audacieux ou

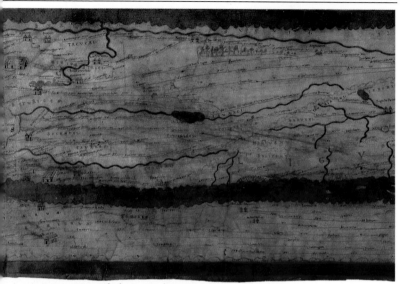

ingénieux : ponts de bois ou de pierre, creusements à flanc de montagne, routes sur pilotis, gués empierrés où le pieux voyageur se doit de jeter une pièce de monnaie.

Signalisation routière et guides de voyage

Le paysage routier est jalonné par des bornes milliaires, hautes colonnes de pierre où se lisent, en

Un mulet, attelé à la caisse d'un petit char à deux roues par un collier de gorge et un brancard, tire sans peine la charge légère du voyageur. On sait que les plus lourds chariots ne pouvaient supporter une charge supérieure à une demi-tonne.

Cette carte «redresse» les déformations de la Table de Peutinger et restitue au pays son aspect familier. Etablie en 1869, elle ne fournit pas une image très fidèle du réseau routier de la Gaule romaine; cependant elle corrige certaines anomalies de la Table : la Loire, sagement, retrouve ainsi son cours normal et... ne traverse plus Paris!

Sur les bornes milliaires, les distances sont indiquées en milles (comme ci-dessous) ou en lieues. Le mille, mesure romaine, vaut 1 480 m; la lieue, mesure gauloise, représente 2 222 m.

latin, le nom de l'empereur qui fit construire ou réparer la route, et la distance séparant la borne du chef-lieu de cité. Dans les villes, de véritables bornes indicatrices, comme celles de Tongres ou d'Autun, décrivent les itinéraires importants. Le voyageur soucieux de se ménager des étapes régulières se munira d'un itinéraire portatif : la route qui reliait Cadix à Rome vers la fin du Ier siècle est ainsi décrite sur quatre gobelets trouvés à Vicarello en Italie.

Juchée sur sa jument, la déesse Epona protège le règne équin, les écuries et les voyageurs.

Si les types de routes sont variés, les genres de véhicules ne le sont pas moins : l'art et l'expérience des charrons gallo-romains s'y révèlent

Les chars, les chariots ou les élégantes voitures, à deux ou quatre roues, tirés par des bœufs, des mulets ou des chevaux, transportent marchandises ou passagers.

L'homme pressé – et aisé – préférera à ces véhicules le cheval de selle. A la fin d'une étape journalière de 45 km environ, le voyageur oublie l'inconfort, le bruit et les dangers – brigands, bêtes sauvages – du voyage dans l'un des nombreux gîtes qui longent sa route. Le simple particulier fréquente l'auberge, le personnage officiel, s'il ne descend pas chez des amis, bénéficie de l'accueil des stations du service de la poste impériale, le *cursus publicus* organisé par Auguste.

A la lenteur et à la cherté du transport par route, on préfère bien souvent le voyage par eau

Certains itinéraires associent d'ailleurs la rivière et la route : une voie de portage rattache par exemple le bassin du Rhône à celui de la Loire. L'abondance et l'heureuse disposition des fleuves de la Gaule ont fait

Des anciens véhicules gallo-romains ne subsistent souvent que les éléments métalliques. Des moulages de pièces anciennes ont été replacés sur une structure en bois pour reconstituer cette élégante voiture à quatre roues.

L'arche de 17 m du pont de Vaison, bâtie en grand appareil, et son tablier dallé ont défié le temps et les bombes : miné en 1944, le pont fut ébranlé, mais resta debout. En général, les ponts étaient en bois, et n'ont pas résisté; les pieux de fondation en sont les plus fréquents vestiges.

l'admiration de l'historien grec Strabon. De fait, mariniers, conducteurs de radeaux, haleurs et flotteurs de bois s'activent sur les grands fleuves – Rhône, Saône, Seine –, mais aussi sur des cours d'eau plus modestes ou non navigables aujourd'hui. La Loire, maintenant paresseuse, était alors une voie vitale reliant au monde méditerranéen l'ouest de la Gaule et la Bretagne insulaire : les lourdes meules en lave d'Auvergne, les cargaisons de vins et de marbres méridionaux, la céramique sigillée de Lezoux étaient ainsi transportés, rapidement, à peu de frais, peut-être cinq fois moins cher que par terre, par des embarcations à fond plat ou des radeaux, admirablement adaptés aux eaux peu profondes. Ces bateaux d'un tonnage parfois important (la grande barque du Ier siècle d'Yverdon, en Suisse, mesure plus de 18 m de long et pouvait sans doute supporter une charge de 15 à 20 tonnes!) sont mus à la voile, à la rame, par halage, ou par simple dérive.

L es amphores gauloises, dont trois sont déjà paillées comme des dames-jeannes pour le transport, attendent d'être chargées sur cette barque fluviale, péniblement halée par deux hommes.

Les ports fluviaux sont souvent situés à un carrefour de voies terrestres et aquatiques. Leur aménagement comprend des quais, des entrepôts, et parfois même des bassins et des pompes hydrauliques, comme à Alet, sur les bords de la Rance. Les villes de Lyon, de Chalon-sur-Saône, de Bourges ou de Paris tirent une bonne part de leur richesse d'un intense trafic fluvial et portuaire, organisé par les nautes, véritables entrepreneurs de transports fluviaux, associés en corporations pour exploiter un bassin fluvial.

Découvert en 1763 à Blessey, près d'une source, ce petit bateau en bronze ne se veut pas maquette exacte : c'est un ex-voto offert à la divinité de la source pour qu'elle favorise la navigation. La majorité de ces modèles réduits de bateaux d'époque romaine a été retrouvée en Gaule, où au moins six objets témoignent de l'importance de la navigation fluviale.

Le complément naturel du réseau fluvial et terrestre est la mer, qui ouvre largement la Gaule sur les trafics méditerranéen et atlantique

De grandes routes maritimes ont pour escale les quelques ports importants du pays, où des bassins, des quais, des entrepôts, des chantiers navals accueillent les gros navires hauturiers de plus de 100 tonnes. Le port de Marseille, vieille fondation grecque, décline au profit de ceux de Narbonne et d'Arles. Sur l'Atlantique, Bordeaux est un relais vital entre la Méditerranée et l'Europe du Nord. *Gesoriacum*, la Boulogne antique, devient, à partir de 43, le port de base de la *Classis britannica*, flotte lancée par Claude à la conquête de la Bretagne insulaire.

De nombreux mouillages plus modestes offrent un abri aux vaisseaux plus petits qui cabotent le long des côtes, achetant des produits qu'ils revendront un peu plus loin. La vaisselle céramique dite «à l'éponge», probablement fabriquée dans la région de Poitiers au IIIe siècle, était sûrement commercialisée de cette façon : on la retrouve principalement en Aquitaine, en Bretagne continentale et insulaire et le long de la Loire.

Navires et naviculaires

Les Gaulois possédaient de solides traditions nautiques, brillamment illustrées par les quelque deux cents navires de la flotte vénète que César affronta en 56 av. J.-C. Certaines de ces traditions ont probablement survécu à l'époque romaine, où les types de navires sont multiples. Le gréement

Le phare de Boulogne, construit en 39 apr. J.-C. sur l'ordre de Caligula, sans doute pour guider la flotte romaine qu'il lança dans une tentative, avortée, de conquête de la Bretagne, mesurait plus de 60 m de haut. Utile par la suite à la *Classis britannica*, il aidait aussi les navires des pêcheurs et marchands. Il ne disparut du paysage boulonnais qu'en 1644.

comprend en général un mât doté d'une voile rectangulaire, que des rames viennent parfois compléter. Malgré l'absence de gouvernail fixe, ces vaisseaux pouvaient parcourir de longues distances et relier Narbonne à Ostie en trois ou quatre jours.

Ces gros navires coûteux appartiennent aux naviculaires, des armateurs qui investissent leurs fonds et peut-être ceux de personnages plus importants, dans la construction navale et dans l'achat du fret. Ce métier à risques ouvre à ces hommes, souvent des affranchis, la voie de la fortune, et leur permet d'occuper une place importante dans la vie politique et religieuse de leur cité.

L e dynamisme des Narbonnais leur valut de posséder un comptoir commercial sur la célèbre place des Corporations à Ostie. Les naviculaires s'y installaient dans une boutique dont cette mosaïque constituait tout à la fois le sol et l'enseigne : un fier navire narbonnais, toutes voiles dehors, y double le phare d'Ostie, port de Rome.

Comme les nautes, les naviculaires tiennent entre leurs mains une partie du grand commerce auquel la Gaule participe si intensément

D'autres négociants, dont le nom trahit parfois les origines étrangères, contribuent au développement d'échanges commerciaux à grande échelle. Les deux capitales, Lyon et Narbonne, attirent beaucoup de ces marchands, qui amènent aussi dans leurs bagages des mœurs et des croyances parfois adoptées par les indigènes.

Une taxe, d'un quarantième de la valeur des marchandises, frappe les cargaisons à leur entrée ou à leur sortie du pays, mais ne semble pas freiner les échanges, qui portent sur les produits de la terre et de l'artisanat. La Gaule nourrit Rome et ses armées de son blé, mais elle régale aussi le gourmet romain de ses charcuteries séquanes et ménapes, de ses oies de Morinie, de ses vins de Narbonnaise. Les vaisselles en bronze, en verre, les fibules émaillées gallo-romaines sont exportées vers la Bretagne insulaire et même vers la Germanie libre, mais c'est la céramique sigillée, fabriquée dans le sud et dans le centre du pays qui connaît la plus grande diffusion. Pour bâtir et orner ses somptueux édifices, la Gaule fait venir de Grèce et d'Asie des marbres chatoyants, elle importe d'Espagne et de Bretagne le plomb et l'étain nécessaires à son florissant artisanat du métal. Pour satisfaire leur passion du vin, les riches Gallo-Romains achètent au loin, en Italie, en Grèce, les grands crus. L'huile des olives de Bétique, en Espagne, enfermée dans de grosses amphores rondes très typiques, inonde toute la Gaule avant de parvenir

Deux dockers chargent sur un navire amarré dans le port de Narbonne une cargaison de poteries, enveloppées dans un filet.

Tous les objets étrangers trouvés en Gaule n'y sont pas venus par la seule voie du commerce : certains ont pu être rapportés dans les bagages de quelque riche voyageur, comme cette coupe d'argent, mise au jour à Alésia.

Vers l'an 200, des Santons font leurs comptes à l'occasion du paiement des fermages. Gros sacs lourds d'argent, monnaies répandues, tout ici évoque la prospérité qui accompagnera dans la tombe le propriétaire du mausolée sur lequel elle est sculptée.

en Bretagne insulaire. C'est l'un des commerces qui apporte le plus de profits, avec celui du vin.

L'amphore

Les épaves qui jonchent la Méditerranée et l'Atlantique nous apprennent beaucoup sur les denrées du grand commerce : les lingots de plomb ou de fer, les caisses de vaisselle complètent souvent le chargement de plusieurs milliers d'amphores fichées dans le sable de la cale. L'amphore est véritablement l'emballage perdu de l'Antiquité : surtout utilisée pour transporter l'huile, le vin, les conserves de poisson, elle porte parfois, inscrites ou peintes, des indications sur sa provenance et son contenu. Très lourde, mais quasiment indestructible, elle foisonne sur tous les sites archéologiques terrestres et maritimes, et permet de saisir l'extraordinaire diffusion de certaines denrées. C'est donc un indice de la grande qualité des voies de communication et de l'efficacité des réseaux de distribution animés par les grands négociants, mais aussi par les marchands et les colporteurs du petit commerce.

Acteurs essentiels de la vie économique du pays, les petits commerçants nous sont pourtant mal connus

Si certains produits circulent sur de grandes distances, la majeure partie du commerce a pour

Le négociant utilise la balance à plateaux ou la balance romaine. Il a aussi adopté le système pondéral romain, en usage dans tout l'Empire.

Ce «chariot-citerne» attelé à trois mulets transporte un foudre de 300 litres!

cadre la «civitas», et concerne les échanges entre le chef-lieu et ses campagnes. Bien des stèles funéraires mises au jour dans les villes, à Bourges, à Sens, à Dijon, à Bordeaux, font revivre les boutiques largement ouvertes sur la rue du marchand

de pots, du pâtissier, du marchand de vin... La clientèle y trouve autant les produits de l'artisanat local, comme la céramique commune, les objets en os, que le ravitaillement envoyé de la proche campagne, et parfois les denrées plus rares, importées par les grands négociants : vaisselle précieuse, outils, vins fins...

S'ils ne se rendent pas à la ville pour faire des emplettes ou vendre leurs produits, les paysans peuvent profiter du passage du colporteur pour acheter les petits objets de la vie quotidienne. Leurs achats plus importants seront effectués dans les boutiques et sur les marchés du gros village, le *vicus*.

Les monnaies romaines sont assez diffusées en Gaule pour que chacun puisse les utiliser dans ses transactions quotidiennes. Elles stimulent donc les échanges, et font connaître à tous la personne et les vertus de l'Empereur.

Les olives de Narbonnaise, tout comme les dattes, le vin, l'huile, les conserves de poisson, circulent dans des amphores.

Caïus Julius Vallorix porte toujours le manteau gaulois, mais vit à l'heure romaine : dans sa maison chauffée et décorée, aux thermes, sur les gradins de l'amphithéâtre… Par mille petits détails, sa vie de tous les jours diffère de celle de ses ancêtres, dont il conserve pourtant certaines coutumes.

CHAPITRE VI
AU JOUR LE JOUR

A la maison, le culte domestique rassemble la famille autour du laraire qui abrite l'image des dieux favoris et des Lares.

La maison et son décor

La maison gauloise d'une seule pièce, semi-enterrée, où s'entassent hommes et bêtes, est, dès le Ier siècle, une image du passé. Les nouvelles techniques de constructions importées par les Romains – notamment la maçonnerie liée au mortier, la couverture en tuiles – permettent aux bâtisseurs, même s'ils utilisent toujours largement des matériaux traditionnels comme le bois, la terre, la pierre sèche ou le chaume, de construire des maisons de plusieurs pièces, à la fois plus solides et plus confortables.

A la ville ou à la campagne, les riches propriétaires adoptent avec empressement des modes italiennes qui transforment le cadre de leur vie domestique. Leurs grandes demeures, souvent organisées autour de jardins, de portiques ou de bassins, se parent de marbres, d'enduits peints, de mosaïques, de stucs et de tentures.

Certains privilégiés voient même l'eau jaillir dans leur maison, où elle alimente les bassins et les bains installés à grands frais, comme à Autun chez Balbius Iassus, ou dans la *villa* bretonne de Kervenennec en Pont-Croix, où un beau pavement de calcaire, de schiste et de brique orne la salle tiède (*tepidarium*) des thermes.

Les maisons les plus modestes ont elles aussi changé. Elles comptent désormais plusieurs pièces; les murs se couvrent d'enduits peints dont les couleurs vives égaient des salles souvent petites, aux fenêtres rares, éclairées par des lampes ou des chandelles de suif ou de cire.

Du mobilier en bois, ne sont restées que les pièces métalliques. Ce sarcophage en pierre, où tant de meubles sont représentés, est un précieux document.

Toutes les habitations gallo-romaines n'avaient pas le confort de ce *triclinium*, salle à manger où l'élégant mobilier romain (lits de banquet, table en pierre, trépied) voisine avec le haut fauteuil en osier typiquement gallo-romain. Les demeures modestes se contentaient de meubles plus rustiques : solide table rectangulaire, tabourets, coffre de rangement...

Cette lourde lampe à huile en bronze, trouvée dans la Drôme, était suspendue en hauteur au centre d'une pièce qu'elle éclairait entièrement. Sa partie inférieure (au verso) est décorée de figures mythologiques.

A table

Gourmands, prolixes, les auteurs latins nous content par le menu celui des tables gallo-romaines. Que mange-t-on ? Beaucoup de viande, d'après Strabon. Frais ou salé, rôti, grillé ou bouilli, le porc est très apprécié. Les autres viandes de boucherie et les volailles apparaissent aussi sur les tables, où les poissons et les coquillages occupent une bonne place. Le poisson d'eau douce est mangé frais, mais les poissons et les fruits de mer, denrées délicates, sont aussi consommés sur des tables éloignées des côtes. Le poisson est séché ou salé, comme à Antibes ou Fréjus, villes célèbres pour leurs saumures de thon ou de loup de mer, vendues sur les marchés de Rome.

Les huîtres de l'étang de Berre, du Médoc, de
Bretagne, parfois salées, sont aussi acheminées dans
des vases remplis d'eau de mer ou sur de la paille. Le
pain léger, pétri avec de la levure de bière, les œufs
et les laitages complètent ce menu, où s'inscrit une
grande variété de légumes et de fruits : chou, pois,
oignon, carotte, lupin, pomme, raisin, noisette,
pêche, cerise…

Les bières de céréales, dont la plus connue est la
cervoise, et l'hydromel sont toujours bus, mais les
Gallo-Romains apprécient de plus en plus le vin,
souvent poissé ou mêlé d'épices, qui doit être filtré et
allongé d'eau avant d'être bu. Nous ne connaissons
pas de recette de cuisine gallo-romaine, mais à
l'office, la variété de la batterie de cuisine révèle un
art culinaire déjà élaboré. Il faut citer le chaudron
suspendu à la crémaillère, le grill, la poêle à frire, le
plat à cupules pour cuire les œufs, les
fendoirs, les crochets à viande, les
louches, les roulettes à pâtisserie,
les moules à gâteaux, les
jarres, les mortiers, les
tèles, les faisselles…
L'huile d'olive, le
saindoux étaient employés,
ainsi que les sauces de
poisson comme le *garum*. Le
sel, de mer ou des mines de
Franche-Comté, les herbes et
les épices relevaient les plats.
Sur la table, le couvert reste assez simple : plats de
service et vaisselle à boire constituent l'essentiel.
Chez les familles modestes, la vaisselle de table est

D es scènes de chasse
embellissent ce
plat en argent, parure
d'une table prestigieuse.
C'est l'œuvre d'un
orfèvre gallo-romain
du IIIe s.

L ' assiette en bronze
est moins
coûteuse; son étamage
donne l'illusion de
l'argent.

en bois ou en terre cuite. Le
notable, pour honorer ses hôtes,
sort son argenterie, ses verres
précieux, son beau service
en sigillée et sa vaisselle
de bronze. Des
accessoires raffinés
ornent sa table :
petits pots à épices
ou à condiments,
fourchettes à trois
dents, passoire, cure-dents...

L a demi-tête de
sanglier, que l'on
conserve fumée, est
appréciée sur toutes
les tables.

En famille

De la famille qui s'assemble autour de la table pour le
repas du soir, on sait peu de choses. La
maisonnée, comme à Rome, comprend
les parents, les enfants, les esclaves et
les affranchis, sans oublier les animaux
familiers : les oiseaux, les chiens et
même les chats sont les compagnons de
jeux de bien des petits Gallo-Romains.

En principe, la Gaule est régie par
le droit romain, pour lequel seul le
mariage entre citoyens ou
possesseurs du droit latin est légal,
les autres unions
étant
reléguées
dans la
catégorie du
concubinage.

D eux types de
cuillers : ronde
et à bout pointu
(*cochlear*), pour percer
les œufs et extraire les
mollusques de leur
coquille ; à cuilleron
ovale (*ligula*), on
l'utilise pour
consommer les
mets liquides.

Qu'elles appartiennent à la tombe d'époux ou de concubins, les stèles funéraires constituent un véritable florilège de la dévotion conjugale. Peut-il en être autrement dans ces scènes de genre plus

Caius Maternus trinque, couché à la romaine, sa femme est assise à la gauloise.

ou moins stéréotypées ? Un autel funéraire évoque le cas de cette malheureuse Lyonnaise, Julia Maiana, assassinée par «un mari très cruel» après vingt-huit ans de mariage, et jette certainement une ombre funeste sur ce tableau idyllique de la vie à deux.

Toutes les femmes ne connaissent pas, bien sûr, un sort aussi tragique : si son père ou son mari est riche, la Gallo-Romaine dirige sa maison et sa domesticité; moins favorisée, elle aide son époux à la boutique, à l'atelier ou aux champs.

Les activités de la Lyonnaise Memmia Sorandis et de la Viennoise Staia Saturnina sont très exceptionnelles : la première est propriétaire de mines de fer, la seconde exploite un grand atelier de plomberie. Quelques *medicae* partagent avec les hommes, à Metz, à Lyon ou à Nîmes, le peu de considération qu'inspire la profession de médecin. Les carrières municipales sont réservées aux seuls hommes, et quelques privilégiées doivent se contenter de servir l'impératrice comme flaminiques, prêtresses du culte impérial. La femme est avant tout épouse et mère de famille. Les innombrables déesses mères en terre cuite allaitant un ou deux enfants montrent combien la fécondité est désirée et respectée en Gaule.

Les femmes soucieuses de leur apparence consacrent à leur toilette de longs instants

Comme leurs maris, elles fréquentent les thermes, mais c'est à la maison que se

La maison modeste est parfois ornée de bibelots en terre cuite, comme ce couple enlacé. Chez les plus riches, statuettes de bronze, vaisselle d'argent fièrement présentée sur un dressoir, *oscilla*, tentures colorées égaient le cadre de vie.

La chaude intimité du couple, moelleusement enfoncé dans un épais matelas, attire le chien de la maison qui vient se rouler en boule à leurs pieds.

A partir du IIe s., certaines fibules prennent la forme de petits animaux multicolores émaillés.

déroulent les principales phases de la toilette : la coiffure, le maquillage et l'habillage.

À l'époque romaine, les célèbres braies des Gaulois ne sont plus guère portées. Le vêtement principal est la tunique, comme dans la plupart des provinces romaines d'ailleurs. Les hommes la portent flottante, ou la raccourcissent en la nouant d'une ceinture, pour libérer leurs mouvements dans le travail. Le complément indispensable de la tunique est le manteau, parfois frangé ou doublé de fourrure. C'est une cape de laine, le *sagum*, agrafée sur l'épaule par une fibule, ou un vaste manteau souvent doté d'un capuchon, le *cucullus*. Les femmes portent leurs tuniques plus longues. Les coquettes ou les frileuses superposent plusieurs pièces de vêtement, et se drapent volontiers dans les grands manteaux, les châles ou les voiles qu'affectionnent leurs contemporaines romaines. Tous ces vêtements, dont il faut imaginer les teintes éclatantes, les motifs variés, les broderies, ne sont que très rarement boutonnés. La fibule remplit le rôle de bouton; cet accessoire essentiel ferme les costumes,

Cette riche Trévire, entourée de deux servantes (page de gauche), vérifie dans un miroir en argent poli le travail de l'*ornatrix*. Il est de bon ton, en s'inspirant des portraits des impératrices véhiculés par les monnaies, d'imiter les dernières modes capillaires de Rome.

Quelques objets de toilette : palette à fard, miroir et flacons.

remplace les coutures et crée des plis harmonieux.
Des sandales à semelle de bois ou de cuir, des sabots ou des bottines de cuir complètent le costume.

Les Gallo-Romains ne sont pas toujours au travail. Même au cours d'une journée de labeur, ils trouvent le temps de lancer les dés, de flâner sur le forum ou de se délasser aux thermes

Les fêtes religieuses, l'achèvement d'un monument public, la fin des moissons, l'élection d'un magistrat ou la générosité d'un édile ou du prince sont autant d'occasions de chômer.

Aux plus riches, le temps libre et la fortune procurent des loisirs variés : voyages d'agrément, table ornée et raffinée, plaisirs de la chasse… Mais ces heureux mortels partagent avec le reste de la population un goût très vif pour d'autres divertissements empruntés à Rome, comme les jeux d'intérieur, la musique ou la lecture.

Les joies de la lecture ne sont pas exclusivement réservées aux privilégiés, qui, à Vienne, à Narbonne ou à Lyon, achètent les volumes, élégamment enveloppés de pourpre, de Martial ou de Pline ; elles sont aussi offertes aux usagers des bibliothèques publiques, comme à Nîmes, où l'édifice dit temple de Diane remplissait très probablement cette fonction.

Pour tous, riches ou pauvres, la fréquentation des thermes et des édifices de spectacle devient très vite une habitude indéracinable. Plus de cent cinquante de ces derniers, répartis dans les villes et les campagnes, illustrent l'engouement des Gallo-Romains pour les divertissements venus d'Italie.

Un cerf apprivoisé attire ses semblables vers les hommes et les fameux chiens courants gaulois qui forment déjà les grands équipages de chasse à courre. Mais des moyens plus simples, tels la fronde, le filet, le piège et même le putois, permettent à tous d'assouvir l'atavique passion de la chasse.

Le hochet à grelots est le premier jouet du bébé. En grandissant, il l'abandonne pour les osselets, les noix, le cerceau, les poupées... Adulte, il continuera à jouer, aux dames et aux dés...

La Gaule compte plus de cinquante amphithéâtres : presque autant que l'Italie et plus que l'Afrique

Dans celui d'Arles, d'Autun ou de Saintes, ce sont plus de vingt mille personnes qui s'asseyent autour de l'arène.

Elles s'assemblent à l'occasion des grandes fêtes publiques, pour assister aux jeux offerts par des notables ou des mécènes en quête de popularité : les trente-deux combats de gladiateurs que T. Sennius Sollemnis, grand prêtre de Rome et d'Auguste à l'autel du Confluent à Lyon, offrit au peuple durèrent quatre jours et lui coûtèrent 332 000 sesterces !

Dans l'arène, les chasses opposent des hommes aux bêtes féroces, ou encore ces animaux entre eux : lions, ours, sangliers, taureaux et cerfs s'affrontent dans un décor compliqué. Mais pour tous les spectateurs, l'attraction principale des jeux reste le combat des gladiateurs.

Le rétiaire, malgré la légèreté de son équipement – brassard, ceinture métallique et trident –, s'avance hardiment vers l'un de ses adversaires traditionnels : le *secutor* ou le myrmillon. Poignard et filet font aussi partie de son attirail. Un gladiateur armé légèrement était en principe opposé à un combattant lourdement équipé.

Pour réussir son spectacle, l'*editor*, le patron des jeux, s'assure des services d'un *lanista*. Cet imprésario lui loue la troupe de gladiateurs qu'il a recrutée et fait former dans les écoles de gladiature d'Autun, de Lyon, de Narbonne, de Nîmes ou de Draguignan. Tous ne sont pas des esclaves ou des condamnés, les troupes comptent aussi des hommes libres, liés par contrat. Certains sont originaires de Gaule, comme le rétiaire viennois L. Pompeius ou le myrmillon éduen Colombus, d'autres sont originaires de Grèce, d'Egypte ou d'Espagne, comme le thrace Q. Vettius Gracilis.

Les gladiateurs, dont on connaît parfois l'appellation – rétiaire, *secutor*, myrmillon, thrace… –, étaient répartis en catégories, selon le poids de leur équipement, et s'affrontaient par paires, dans des combats qui n'étaient pas toujours sans merci. Dans ces spectacles cruels,

Gravés sur le marbre un bateleur et son ours, savant sans doute…

Autour du terre-plein central, où un personnage tient déjà la palme du vainqueur, les chars des quatre factions s'affrontent en une course violente, riche en péripéties. Seules quelques villes étaient dotées d'un cirque : à Arles et à Vienne, où se dressent encore les obélisques du cirque, des pistes longues de 350 et 450 m ont été repérées; mais à Lyon, d'où provient cette mosaïque, à Nîmes et à Saintes, les indices sont plus ténus.

supprimés en 404, le public se passionnait pour tel ou tel type d'équipement, mais il admirait aussi le savoir-faire technique, et acclamait la bravoure d'un Faustus ou d'un Campanus, vainqueurs de plus de vingt combats.

Un autre spectacle romain avait su séduire le public gallo-romain : le théâtre

Sur les scènes d'au moins soixante théâtres, les représentations les plus variées étaient données. Les grandes tragédies et les comédies du répertoire romain, d'ailleurs peu jouées à Rome, y étaient éclipsées par le mime et la pantomime, sortes de spectacle total, où la danse, la musique, la scénographie l'emportent de beaucoup sur le texte. Les mythes, les épopées et la farce forment la trame du livret de ces divertissements, où s'illustrent des artistes comme le jeune Septentrion, mort à douze ans, après s'être produit sur la scène du théâtre d'Antibes où il «dansa et plut». En Gaule, les citadins n'étaient pas les seuls à se rendre au théâtre, puisqu'un bon nombre de ces édifices étaient construits dans les villes secondaires ou même en pleine campagne. Dans ce dernier cas, comme à Champlieu, à Sanxay ou à Genainville, le théâtre est associé à un sanctuaire et à des thermes, parfois à une basilique, pour former un *conciliabulum*, ensemble cultuel où les populations rurales se réunissent à l'occasion de fêtes religieuses ou de foires.

Les plaisirs du bain

Les thermes accueillent gratuitement, ou pour un prix modique, les hommes et les femmes, ensemble, à des heures différentes ou dans des locaux séparés, comme à Cimiez. Ces clients viennent bien sûr se laver, mais pas seulement : les bains publics sont en effet de véritables centres de loisirs. Statues, fontaines, marbres, enduits peints, stucs et mosaïques composent un décor coloré et luxueux où il fait bon passer de longues heures vouées à l'exercice physique, au bain, à la lecture, à la conversation ou encore à la musique.

Le geste ample de l'orateur est caricaturé par un acteur de comédie au visage caché sous un masque.

Après avoir déposé ses vêtements au vestiaire, l'*apodyterium*, le client peut nager dans une piscine à l'air libre, parfois plus grande que nos bassins olympiques, comme celle des thermes de Sainte-Barbe, à Trèves (environ 60 m sur 20!), ou s'échauffer sur la palestre avant de s'engager dans la succession des salles de l'établissement thermal, où il passera de la salle froide, le *frigidarium*, à la salle tiède, le *tepidarium*, avant de séjourner dans l'étuve, le *caldarium*, aux fenêtres munies de vitres de verre. Propre et revigoré, le visiteur peut confier son corps à un masseur ou à un épileur, déambuler dans les jardins ou sous les portiques, faire quelques emplettes auprès des marchands d'accessoires de bain, prendre un rafraîchissement, assister à un concert, à une conférence…

L a musique, goûtée pour elle-même dans le cadre raffiné de l'odéon ou des thermes, est l'accompagnement indispensable des cérémonies, défilés militaires, jeux de la scène ou de l'arène. Ici, l'organiste et le trompettiste, presque enroulé dans sa *cornu*, suivent le déroulement des combats.

S trigile, patère et aryballe sont

utilisés par tous les clients des thermes.

Quelques dizaines d'années après l'achèvement de la conquête, sous prétexte de mettre fin à leurs pratiques magiques, Claude supprime les druides. L'Empereur redoute plus leur influence politique qu'il ne condamne la religion dont ils sont les prêtres. D'ailleurs, le vainqueur n'impose pas ses dieux. Il organise seulement certains cultes, comme celui de Rome et de l'Empereur.

CHAPITRE VII
LES DIEUX, LES MORTS

« Le dieu qu'ils honorent le plus est Mercure. » Le témoignage de César dans *La Guerre des Gaules* est confirmé par les nombreuses représentations du dieu découvertes en Gaule. Classiques ou indigènes, comme ici le Mercure de Lezoux, les statues de culte étaient honorées dans des *fana* semblables à ce qu'était le temple dit de Janus à Autun (page de gauche).

En passant en revue les représentations des divinités, en lisant les dédicaces des fidèles du Iᵉʳ siècle apr. J.-C., on observe deux courants très distincts dans le domaine religieux. La tradition indigène est très vivace, même si on n'hésite pas à adopter des nouveautés romaines.

L'héritage gaulois

Les divinités gauloises, leurs symboles et leurs attributs ont des traits qui ne doivent rien à l'apport romain. Très souvent en rapport avec la nature, ce sont des dieux chasseurs, des dieux forestiers : certaines dédicaces des Pyrénées sont adressées aux Six Arbres... Ils touchent de près au monde animal, réel (un dieu aux oiseaux reçoit l'oracle des corbeaux perchés sur ses épaules) ou fantastique (des serpents à tête de bélier accompagnent Cernunos, divinité parée de bois de cerf, toujours représentée assise en tailleur; des taureaux sont munis de trois cornes).

La multiplication par trois semble avoir été souvent pratiquée par les Gaulois pour renforcer le pouvoir divin : dieux à trois visages, Tarvos Trigaranus, le taureau accompagné de trois grues... Cette habitude sera conservée par la religion gallo-romaine qui multipliera certaines déesses-mères par trois pour former les triades bourguignonnes.

Beaucoup de ces dieux indigènes restent pour nous sans nom et avec une attribution

Le dieu de Bouray (ci-dessous) ou le dieu d'Euffigneix (à droite) ont conservé les traits de divinités indigènes dont les noms se sont perdus. Tandis que le Taranis du Châtelet (à gauche en bas) garde un aspect gaulois, mais se rapproche par quelques détails du Jupiter latin (il porte le foudre, par exemple).

incertaine. C'est le cas de tous les dieux chasseurs ou forestiers, de ces dieux que l'on baptise d'après leur lieu de trouvaille : dieu de Bouray, dieu d'Euffigneix... D'autres, qui ont survécu plus longtemps, sont identifiés par des inscriptions ou des textes latins. Le pilier des Nautes parisiens, trouvé sous le parvis de Notre-Dame, nous fait connaître Esus, Cernunos, Smertrios, Tarvos Trigaranus, puisque leur nom est gravé au-dessus de leur représentation.

Le poète latin Lucain nous en présente quelques autres : Sucellus, le dieu au maillet, qui préside sans doute à la fertilité du sol et au monde des morts; Epona, la déesse protectrice des chevaux, des cavaliers et de la maison; Taranis, le dieu du ciel...

S i Mercure est souvent très classique, Sucellus, même sous un costume romain, reste l'indigène dieu au maillet.

Le panthéon de la Gaule romaine illustre concrètement la complexité des liens tissés entre les civilisations gauloise et romaine

En effet, à côté des dieux traditionnels qui ont continué à être honorés sous leur nom gaulois – Epona, Sucellus, Taranis – sans doute parce qu'ils n'avaient pas d'équivalent romain assez proche, les Gaulois ont assimilé toute une série de dieux indigènes à leurs correspondants méditerranéens. Ces dieux prennent parfois alors un aspect particulier, comme le Mercure de Lezoux dans son costume gaulois. Ils peuvent aussi être accompagnés d'une divinité féminine, leur parèdre, qui porte les mêmes attributs : Rosmerta pour Mercure, Damona pour

Apollon... Des divinités protectrices du foyer et des enfants, les déesses mères fréquentes dans le monde méditerranéen, ont adopté en Gaule la physionomie de nourrices, allaitant un ou deux enfants.

Les dieux, lorsqu'ils ont été romanisés, sont souvent parés d'une épithète, qui est leur ancien nom gaulois : Apollon s'appelle fréquemment Apollon Borvo (Apollon, dieu guérisseur, a été assimilé à Borvo, dieu des eaux guérisseuses, dont on retrouve le nom dans Bourbon, Bourbonne...).

D'autres fois, leur épithète indique le lieu où on les honorait : Apollon Grannus est originaire de Grand, dans les Vosges.

Pour se mettre à la mode romaine, les Gallo-Romains ont vénéré certaines divinités sous leur identité romaine – Jupiter remplace alors Taranis – ou en ont adopté d'autres, qui n'avaient pas d'équivalent gaulois : Minerve, Diane... Un culte leur a été rendu, sans qu'ait été modifié leur nom ni même leur aspect physique.

L'attrait des cultes exotiques

Certains esprits sensibles n'étaient pas satisfaits de l'aspect de marchandage que revêtaient les relations entre la divinité et le fidèle : je t'offre un ex-voto, tu me guéris; j'accomplis tous les rites, tu me donnes la vie éternelle. C'est pourquoi, dès la fin du Ier siècle, les religions orientales ont commencé à se répandre, introduites par les soldats et les marchands. Ce sont des religions où la valeur personnelle, les actes de la vie, les efforts, comptent et peuvent assurer la survie après la mort. La grande déesse de Phrygie, Cybèle, flanquée de son acolyte Attis, a été adoptée dans la

Mithra, le dieu perse, égorge le taureau.

Une feuille d'argent découpée en forme de palmier évoque le caractère oriental du dieu Jupiter Sabazius (page de gauche) et sa puissance fécondante. Le portrait du dieu et une dédicace sont estampés dans le décor.

Le sanctuaire de l'Altbachtal (ci-contre), à Trèves, exceptionnel par sa taille, regroupait un grand nombre d'édifices, des *fana* pour la plupart.

vallée du Rhône. On lui a construit un grand sanctuaire à Vienne, puis à Lyon, avec un théâtre pour y célébrer les mystères. Mithra, le Dieu Invaincu, originaire de Perse, a eu beaucoup de succès dans les régions frontières du Nord-Est. Son culte était célébré dans des temples semi-enterrés où l'on pratiquait le sacrifice du taureau, dont le sang purifiait les fidèles. C'est en tant que religions orientales que les cultes juif et chrétien se sont introduits en Gaule par la vallée du Rhône, dès le Ier siècle.

La religion imprègne tout dans la société antique, si bien qu'une multitude de lieux sont considérés comme sacrés

Les particuliers ont chez eux un lieu sacré, le laraire, où séjournent les dieux Lares, génies protecteurs de la maison, et leurs divinités préférées : déesse-mère,

Dans une cave d'Argentomagus, un petit sanctuaire abritait des dieux Lares, traités à la gauloise. Ils étaient installés derrière une table d'offrandes, dans une niche à décor peint. La famille y rendait un culte privé.

Epona, Vénus... Ils leur rendent un culte et leur offrent des libations sur un autel installé devant le laraire.

Les sanctuaires publics sont souvent construits dans des lieux sacrés vénérés depuis longtemps : sommets, lieux de passage, carrefours, à proximité des sources et des lacs... Le sanctuaire adopte des formes très diverses : source sacrée sommairement aménagée, simple chapelle isolée ou grands temples entourés d'une enceinte. Un type original, le *fanum,* est particulièrement caractéristique : à la différence du temple édifié pour le culte de Rome et d'Auguste, il conserve les formes établies à l'époque de la Gaule indépendante.

Les formes de la piété

Les rites les plus fréquents, sacrifice ou libation, sont pratiqués en plein air, sur des autels. Ils ont pour but de rendre la divinité favorable et de l'amener à remplir le vœu exprimé. Cette divinité est parfois représentée par une statue de culte de taille modeste ou monumentale, placée dans la *cella* du temple. Les objets très variés offerts comme ex-voto : autels, vaisselle, statues...,portent toujours une formule : *V.S.L.M. (votum solvit libens merito :* j'ai réalisé mon vœu de plein gré, à mes frais). Cela fait penser plutôt à un remerciement qu'à une prière. Nombre d'offrandes, sans inscription, sont beaucoup plus modestes : fibules, anneaux, clochettes, outils, vases, clous...

On pratiquait certainement d'autres rites dans les sanctuaires. Mais nous en sommes réduits à les imaginer. La forme

REGINI DIA S MYRNE S POST
ITPBITVDINE S EXOV OPIRMM

Les collyres, vendus secs, à délayer, nous révèlent leurs secrets par le cachet (à gauche) que l'oculiste appliquait sur ses préparations.

du *fanum*, avec une galerie autour de la *cella*, suggère des processions. De même, la présence, dans certains sanctuaires, comme au Chastellard-de-Lardiers (Alpes-de-Haute-Provence), d'une voie sacrée bordée de niches, ou, au sanctuaire de Mercure du Puy-de-Dôme, de terrasses reliées entre elles par des escaliers, laisse supposer des processions de pèlerins, avec stations devant niches et exèdres. Le rite de l'incubation, où un rêve était envoyé par la divinité au fidèle qui dort, est attesté par une inscription de Bourbon-Lancy : un fidèle «somnolent» remercie Damona.

Le secours des dieux était souvent requis pour les soins oculaires. Le grand nombre d'ex-voto en forme d'yeux découverts dans certains sanctuaires en témoigne.

Un aspect particulier de la religion : la médecine

Nombres de sanctuaires étaient consacrés à des divinités guérisseuses, et souvent installés à l'emplacement d'une source aux vertus curatives. C'est à Bourbonne-les-Bains, par exemple, que le dieu Borvo exerçait ses talents. Ses sanctuaires recevaient des ex-voto à caractère médical : portrait du fidèle malade, ou simplement partie du corps à soigner (jambes, bras, ventres).

Des yeux ont été retrouvés en grand

Les médecins gallo-romains semblent s'être fait une spécialité du soin des yeux, soit que les affections en aient été très fréquentes, soit qu'ils y aient été spécialement habiles. L'oculiste qui peut, avec l'aide des dieux, opérer la cataracte (page de gauche) dispose, comme le chirurgien, d'instruments de bronze, souvent décorés, qu'il transporte dans un coffret. On a trouvé à Reims, dans la tombe d'un oculiste, une trousse complète, contenant, auprès des instruments d'examen et de chirurgie, deux balances pour préparer les médicaments...

L es *parentalia*, fêtes des morts, étaient célébrées au mois de février. Les familles s'assemblaient autour des tombeaux qu'elles décoraient de feuillages et de fleurs. Les libations et les banquets qu'elles donnaient alors contribuaient à garder le contact entre les vivants et les morts.

C ertains sanctuaires situés sur des sources thermales ont conservé des statues de bois, images des pèlerins ou de la partie du corps dont ils sollicitaient la guérison. Parfois les ex-voto révèlent le désespoir du demandeur, telle cette buveuse d'eau de Vichy (page de gauche).

nombre dans l'est de la Gaule, ainsi qu'aux sources de la Seine (plusieurs milliers).

Le fidèle gallo-romain vénère les dieux, sans pour cela oublier ses devoirs envers les morts

Sur le sujet si vital qu'est la mort, les croyances divergent. Certains Gallo-Romains reprennent à leur compte la formulation d'une épitaphe de Lectoure : «Je n'étais pas, j'ai été, je m'en souviens; je ne suis plus, je n'en ai cure.» D'autres, plus nombreux, envisagent la mort sous un jour plus serein et invoquent sur leur tombe la «mémoire éternelle».

Mais il semble que tous, par piété, par crainte des mauvais esprits, ou par habitude, ont à cœur d'accomplir certains rites essentiels pour le repos du mort et la purification des vivants : ils donnent au défunt une sépulture et entretiennent son souvenir.

L'esprit des ancêtres disparus, les Mânes, est évoqué lors des célébrations du culte domestique : devant le laraire, le chef de famille les honore au même titre que les Lares. Plusieurs fois par an, à l'occasion de la

fête anniversaire du défunt, ou lors de la fête
des morts, les *Parentalia*, la famille se réunit
sur la tombe du défunt pour banqueter et
accomplir offrandes, libations apaisantes.

Les rites de la mort : incinération et inhumation

Après le décès, le mort est conduit en dehors
de la ville, jusqu'au cimetière, généralement situé
le long d'une route, d'où le voyageur peut lire
les épitaphes et admirer les mausolées.

Au Ier siècle, et jusqu'à la fin du IIe siècle, le rite
dominant est celui de l'incinération. Le corps est
placé dans une fosse ou sur un bûcher, et
l'assistance jette dans les flammes des offrandes :
fleurs, parfums, objets personnels… Les
ossements sont ensuite triés et mis dans une
urne, que protège un coffre de pierre ou de plomb.

Peu à peu, l'inhumation, rare au Ier siècle, se
développe pour devenir au IIIe siècle le rite principal.
Le corps est déposé en pleine terre ou dans un

cercueil de bois, de pierre ou de plomb, s'il n'est pas placé sous des tuiles ou dans une amphore sciée.

Le défunt est muni de tout ce qui peut lui assurer une survie agréable : offrandes alimentaires, vaisselle, objets personnels. Des objets chargés d'un sens symbolique ou religieux sont déposés près de la tombe pour protéger le repos du mort, ou attester de sa dévotion à un culte particulier.

A la sortie des villes, aux confins du domaine, les monuments funéraires relient le monde des morts à celui des vivants

Les cimetières n'étant pas organisés de façon très rigoureuse, bien qu'on y observe parfois des alignements ou des regroupements au sein d'enclos, il était important de marquer en surface l'emplacement de la sépulture. Cela permettait de perpétuer l'identité et le souvenir du défunt, de signaler les limites de la concession et ainsi de préserver la tombe de toute occupation sacrilège.

Les cendres des plus riches, après leur incinération, étaient rassemblées dans une urne en verre que l'on protégeait dans un coffre en pierre.

Ce fragment de sarcophage, découvert à Paris, a probablement été sculpté en Italie, mais la scène de lamentation qui le décore est universelle : avant d'être enseveli ou incinéré, le mort était exposé sur un lit et apostrophé vivement à plusieurs reprises, pour s'assurer de la réalité de son trépas.

Des ornements symboliques, tels les croissants de lune, les rouelles, les *asciae*, des inscriptions prophylactiques, l'image de dieux, gravés ou sculptés dans la pierre, protègent la tombe des mauvais esprits ou des pilleurs. La signalisation de la tombe était donc assurée par la visualisation directe d'une partie de la tombe, ou par l'érection de divers monuments : pierre, autel, pyramidion, mausolée orné de statues…

Si ces monuments, souvent si riches en renseignements sur la vie quotidienne de Gaule romaine, nous sont parvenus, c'est que dès l'Antiquité, au IIIe siècle, ils ont été détournés de leur emploi premier et réutilisés pour construire les enceintes derrière lesquelles se replient

Ce dessin du XIXe s. présente, de façon imaginative, l'entrée dans Metz de la VIe légion, en 365. Les soldats défilent devant les monuments funéraires, et laissent derrière eux les thermes, le nymphée et l'amphithéâtre que l'enceinte, construite à la fin du IIIe s., n'a pas englobés.

bien des villes, dans la crainte des assauts barbares qui menacent l'Empire et la Gaule.

Ces temps troublés, qui marquent le début de ce qu'on appelle communément le Bas-Empire, ne voient pas s'effondrer en un seul bloc la civilisation née de la conquête. Des renaissances ponctuent les deux siècles et demi du Bas-Empire, jusqu'au sac de Rome, en 476, qui marque traditionnellement la chute de l'Empire romain d'Occident, et bien des traditions gallo-romaines se perpétuent. De leur fusion avec des traits de culture germanique et chrétienne naîtra, à partir du Ve siècle, la civilisation du haut Moyen Age.

À partir du IIIe s., des scènes et des symboles chrétiens, tels le poisson, le chrisme, l'alpha et l'oméga, apparaissent sur des objets usuels, sur les murs peints comme celui de Glanum (fragment ci-dessous), et sur des sarcophages.

TÉMOIGNAGES
ET DOCUMENTS

Longtemps traitée comme un
paragraphe à la fin du chapitre romain,
la Gaule romaine a aujourd'hui
retrouvé sa propre histoire, à partir de
sites, de textes et d'objets qui font de la
France un extraordinaire terrain
de fouilles.

Des antiquaires aux archéologues

*Dès le Moyen Age
les antiquités livrées par
le sol de la France suscitent
curiosité et légendes, mais
pendant plusieurs siècles
l'étude des antiquités
classiques éclipse chez
les antiquaires celle des
monuments de la Gaule
romaine : ceux-ci ne servent
qu'à illustrer la glorieuse
histoire de Rome. Ce n'est
qu'au XIXᵉ siècle, lorsque les
antiquaires deviennent des
archéologues, que les
vestiges gallo-romains sont
étudiés pour eux-mêmes.*

Peiresc contre la « vaine érudition »

*L'un des premiers en France, l'humaniste
aixois Nicolas Claude Fabri de Peiresc
(1580-1637) cesse de considérer les
antiquités comme de simples curiosités de
cabinet.*

Ce puissant esprit peut être considéré à
juste titre comme le fondateur de la
science archéologique en France.

La conception qu'il a de ces études
est celle qui pendant plus d'un siècle va
dominer la recherche érudite. Elle se
trouve exprimée avec une netteté
parfaite par Peiresc lui-même dans un
passage que cite son biographe Pierre
Gassendi :

« Bien des gens se gaussent
bruyamment de nos études, prétendant
qu'elles ne procurent aucune gloire à
ceux qui s'y livrent et aucune utilité
aux autres. Ceux-là seuls méritent un
tel reproche qui n'y cherchent qu'une
vaine érudition ou même, ce qui est
moins encore, se contentent de
collectionner les antiquités pour la
garniture de leurs armoires et
l'ornement de leurs demeures, et
s'attachent seulement à les posséder
pour qu'on les en sache possesseurs. Par
contre, ils sont entièrement dignes de
louange et ne perdent aucunement leur
temps ceux qui recherchent les
antiquités, les étudient et les publient
pour éclairer par elles la lecture des
bons auteurs, pour illustrer les
circonstances de l'histoire et pour
mieux graver dans les esprits, les
personnages, leurs faits et les grands
événements. »

L'étude des « antiquités » n'est donc
que le moyen d'une connaissance plus
approfondie de l'antiquité. Les
monuments ne représentent qu'une
sorte de commentaire des textes,
l'archéologie n'est que l'auxiliaire et
comme la servante de la philologie. Les

Mis au jour en 1810 à Jouey, en Côte-d'Or, ce juvénile satyre en bronze appartint d'abord à l'illustre collection de Vivant Denon. Sa corde à sauter anachronique, ajoutée par l'un des premiers possesseurs, a disparu lorsqu'il est entré en 1988 dans les collections publiques.

antiquités de la Gaule ne sont pas distinguées de celles des autres provinces du monde romain ; elles doivent servir à éclairer non pas tant l'histoire de notre pays que celle de Rome en général.

Albert Grenier,
Manuel d'archéologie, Picard, 1931

Pour une « Gaule antique »

A partir de 1761, le comte Anne de Caylus (1692-1765), antiquaire et collectionneur de génie, publie un monumental Recueil des antiquités. *Les antiquités gauloises – c'est-*

à-dire trouvées en Gaule – apparaissent au tome III de l'ouvrage...

La réfléxion fait sentir que les recherches sur les monuments de l'ancienne Gaule, intéressent d'autres hommes que ses propres habitants : ces recherches sont en effet intimement liées à l'Histoire des Romains, qui joueront toujours un grand rôle dans le tableau du monde ; elles peuvent aussi servir à l'intelligence de plusieurs Auteurs. [...] Les Gaulois, avant la conquête des Romains, sont un objet si peu considérable, par rapport aux arts et aux monumens, et nous avons des lumières si confuses, et si peu certaines sur ce qui les regarde en particulier, que je me suis contenté de rapporter, sans entrer dans aucun détail, le petit nombre de monuments que le hasard m'a fourni, et qui m'ont paru leur appartenir. La Gaule, devenue Romaine, est un objet plus intéressant : le nombre des monuments qu'elle renferme est si considérable, qu'il n'est pas étonnant que nous n'ayons à cet égard que quelques histoires particulières de différentes villes. Le dernier siècle a même produit plusieurs bons ouvrages, écrits par des Citoyens, dans le dessein d'illustrer leur patrie en particulier. J'avoue que l'abondance de la matière m'a beaucoup étonné, et je conviens qu'il faudrait faire une dépense véritablement royale pour remplir cet objet.

[...] Je m'estimerois heureux si le peu qu'il m'a été possible de rassembler, inspirait à quelque personne éclairée le désir de satisfaire la curiosité, par une *Gaule antique*.

Caylus,
Recueil des antiquités

L'organisation de l'archéologie nationale

Au XIXe siècle, les érudits sortent de leurs cabinets : les antiquaires se muent en archéologues. Leurs buts et leurs méthodes se précisent. La connaissance de la période romaine en Gaule bénéficie bien sûr de cette mutation.

La Révolution et le romantisme naissant ont, en effet, introduit un esprit nouveau dans l'étude des monuments du passé. La Révolution a réveillé le patriotisme. Le sol national, les peuples qui l'ont occupé et les monuments qui conservent la trace de leur histoire, suscitent désormais un intérêt sentimental qui met les antiquités de la France au même niveau que celles des peuples classiques.
Le romantisme, en même temps, élargit l'horizon intellectuel des lettrés et des savants. A côté des Grecs et des Romains, il leur fait apercevoir le monde barbare, il ouvre la voie à l'imagination vers la conquête de l'inconnu. [...]

Les monuments romains bénéficiaient de cette popularité des vestiges de tout notre passé. Ce n'est plus seulement en tant que romains qu'ils sollicitent l'attention, c'est en tant que documents d'une période particulièrement brillante de notre passé national. [...]

Il ne s'agit plus uniquement, désormais, de collectionner les monuments matériels des siècles passés pour y chercher une sorte de commentaire aux textes historiques et littéraires ; il ne suffira même plus d'analyser curieusement ceux que le hasard met à la portée de l'antiquaire. L'érudition archéologique en vient à concevoir une tâche plus haute ; elle veut comprendre et expliquer. Comprendre les monuments du passé, ce sera les replacer dans le milieu dont ils ont fait partie ; les expliquer, c'est arriver à montrer, aussi clairement que possible et de façon certaine, les rapports de chacun en particulier avec l'ensemble de la civilisation qui les a produits ; c'est formuler la loi de leur naissance et de leur développement. Pour atteindre à cette parfaite intelligence, il faut rechercher, classer, comparer, le plus grand nombre possible de documents.

Une telle tâche dépasse les forces d'un seul. Il faudra donc à l'archéologie des collaborateurs nombreux et les moyens non seulement de connaître mais aussi de faire connaître. Des fouilles, des études techniques, de vastes enquêtes et une large vulgarisation apparaîtront désormais comme indispensables. La science des antiquités nationales devient œuvre collective par excellence et, comme telle, exige une organisation s'étendant à l'ensemble du pays. C'est cette organisation que le XIXᵉ siècle va essayer de lui donner.

Albert Grenier, *op. cit.*

Prosper Mérimée aux prises avec les boutiquiers de Saintes

En 1834, fut constituée au ministère de l'Intérieur, pour être transférée plus tard au ministère des Beaux-Arts, la *Commission des Monuments historiques* dont l'inspecteur général fut Prosper Mérimée (1803-1870). Grand voyageur, curieux et homme de goût, très lié avec la plupart des savants anglais qui, comme le reconnaît de Caumont, étaient, depuis le XVIIIᵉ siècle, nos maîtres pour tout ce qui concernait l'archéologie préhistorique et le moyen âge, Mérimée exerça une heureuse influence surtout comme intermédiaire entre le monde savant et le grand public. Fort bien en cour, grâce à son esprit, sous Louis-Philippe et plus encore sous Napoléon III, il fut, pour tout ce qui concernait la conservation des monuments historiques, une sorte de dictateur généralement bienfaisant.

Albert Grenier, *op. cit.*

En 1844, à Saintes, le fameux arc romain, gloire de la ville, attend qu'on le redresse à quelques mètres de son emplacement primitif, car il a fallu démolir l'ancien pont dont il couronnait une des piles. Cet ancien pont, voie de grand passage, a été remplacé par un autre, à une centaine de mètres de là. Tout naturellement, la vie et le commerce ont suivi, au grand désespoir des boutiquiers de St-Palaye, le faubourg qu'à présent déserte la prospérité. Les habitants du quartier conçoivent le projet de tendre une passerelle au-dessus de la rivière, à l'endroit où l'ancien pont l'enjambait, là où doit se dresser à nouveau le monument romain. Ils ne voient pas le ridicule, le déshonneur qu'il y aurait pour le glorieux édifice de pierre à commander un petit ouvrage « en fil de

Arc de Cavaillon.

fer ». Mérimée veille à éviter ce scandale architectural. Les indigènes tentent une dernière démarche pour le convaincre :

Hier, pendant que je faisais mes paquets, un homme vêtu de noir, en gants jaunes, ayant la tournure d'un avocat, entra dans ma chambre. Je lui demande son nom, au lieu de me répondre, il se présente un gros homme, en noir également, qui le suivait. En une minute, vingt autres hommes en noir entrent et me refoulent jusqu'à l'angle formé par mon lit et la table de nuit. Le premier homme en noir, alors élevant la voix et parlant du nez, m'apprend qu'il a l'honneur de représenter une députation du faubourg St-Palaye, qui vient réclamer contre mes arrêts et me demander une passerelle. J'aurais pu vous amener, ajoute-t-il, tous les habitants, les femmes et les petits enfants, mais c'eût été une inconvenance et j'en suis incapable. Après cet exorde, il commença une harangue dont je vous fais grâce. En substance, il prétend que le faubourg est ruiné s'il n'a pas la passerelle (...). Entre chaque alinéa de sa harangue, un gros homme décoré à figure de carlin, grognait d'une voix sourde : j'ai perdu 30 000 francs ! et 20 autres voix répondaient : et moi donc ! Acculé dans mon coin j'ai commencé par leur dire (...) que je n'étais à Saintes que pour une question d'art (...) que je faisais profession de conserver les vieux monuments et non d'en faire des neufs. Puis je leur ai fait une belle parabole pour leur prouver que tous les quartiers de Saintes ne pouvaient prospérer à la fois. Ils l'ont comprise, mais en déclarant qu'ils voudraient que ce fût le quartier de St-Palaye qui prospérât... « J'ai perdu 30 000 F, etc. » (Le maire croit avoir trouvé la solution idéale) : Son projet était de placer l'arc sur une hauteur à l'extrémité du cours royal, à l'embranchement de la route de Bordeaux et de celle de la Rochelle. – Mais, lui dis-je, Monsieur, l'inscription, qu'en ferez-vous ? Elle mentionne que le monument a été construit au bord de la Charente. – L'inscription ? Monsieur, nous la changerons. »

Emmanuelle Hubert,
« Servitude
et grandeur de l'archéologie,
Prosper Mérimée »,
in *Archeologia*, mars-avril 1965

Un archéologue du XIXᵉ siècle : l'abbé Cochet

En 1854, dans le premier chapitre de sa « Normandie souterraine », l'abbé J.B.

Cochet (1812-1875) exprime avec ferveur le credo de la toute nouvelle science archéologique, dont il est un des pères fondateurs en France, pour les périodes gallo-romaine et mérovingienne.

Bien des gens s'imaginent, et mes ouvriers eux-mêmes partagent cette opinion, que ce que je cherche dans le sol, ce sont des trésors : ils me prennent pour un Californien dépaysé qui, n'ayant pas le courage de se transporter de France en Californie, veut transporter la Californie en France. Je suis pour eux comme un magicien qui a lu dans les astres, dans les bouquins ou les vieux titres, l'existence mystérieuse de trésors cachés sous les ruines. D'autres, plus nombreux et plus éclairés, pensent que si je déchire ainsi le sein de la terre, c'est pour y trouver des vases, des armes, des médailles ou des objets précieux. Or ce n'est rien de tout cela que je cherche. A vrai dire, lorsqu'un bel objet sort de terre, qu'une pièce importante se révèle sous la bêche, je n'y suis jamais indifférent ; mais une fois tiré de la terre, il perd pour moi la moitié de sa valeur, et quand il a été étudié, il n'en a plus du tout. Je le dépose avec bonheur dans une collection publique et je me résignerais presque à ne plus le revoir.

Ce que je cherche au sein de la terre, c'est une pensée. Ce que je poursuis à chaque coup de pioche de l'ouvrier, c'est une idée ; ce que je désire recueillir avec ardeur, c'est moins un vase ou une médaille qu'une ligne du passé, écrite dans la poussière du temps, une phrase sur les mœurs antiques, les coutumes funèbres, l'industrie romaine ou barbare, c'est la vérité que je veux surprendre dans le lit où elle a été couchée par des témoins qui ont à présent douze, quinze ou dix-huit cents ans. Je donnerais volontiers tous les

L'abbé Jean-Benoît Cochet, inspecteur des Monuments historiques.

objets possibles pour une révélation de ce genre. Les vases, les médailles, les bijoux n'ont de prix et de valeur qu'autant qu'ils révèlent eux-mêmes le nom et le talent d'un artiste, le caractère et le génie d'un peuple, en un mot, la page perdue d'une civilisation éteinte. Voilà surtout ce que je poursuis au sein de la terre. Je veux y lire comme dans un livre : aussi j'interroge le moindre grain de sable, la plus petite pierre, le plus chétif débris, je leur demande le secret des âges et des hommes, la vie des nations et les mystères de la religion des peuples.

Abbé Cochet,
La Normandie souterraine, Paris, 1855

La Gaule, de César à Goscinny

Les écrits des auteurs gaulois du Haut-Empire, rhéteurs et orateurs réputés, n'ont pas survécu. Qui connaît un Trogue Pompée, un C. Domitius Afer ? Ce sont les œuvres d'étrangers, César, Strabon, Pline l'Ancien, qui nous font mieux connaître la Gaule romaine. A l'époque moderne, cette période de l'histoire nationale a rarement éveillé la curiosité des écrivains, trop occupés à vanter les beautés de la Grèce et de Rome.

Le panthéon gaulois vu par César

Dans La Guerre des Gaules, *César (100-44 av. J.-C.) ne se contente pas de détailler les épisodes de sa conquête. Il s'attache aussi à décrire le pays, les hommes et les dieux.*

Mercure est le dieu qu'ils honorent le plus : ses représentations sont les plus nombreuses, on en fait l'inventeur de tous les arts, le guide des routes et des voyages ; on pense que pour les gains d'argent et le commerce c'est lui qui a le plus d'efficacité. Après lui, Apollon, Mars, Jupiter et Minerve. Sur ces divinités ils ont à peu près la même opinion que les autres peuples : Apollon chasse les maladies, Minerve transmet les rudiments des travaux et des métiers, Jupiter règne dans le ciel, Mars conduit la guerre. C'est à lui que, lorsqu'ils ont résolu de combattre, ils vouent à l'avance leurs prises de guerre, après la victoire ils immolent les êtres vivants capturés et entassent en un lieu tout le reste. En mainte cité on peut voir des amas formés de ces choses en des lieux consacrés ; il arrive rarement que quelqu'un, au mépris du respect religieux, ose cacher chez lui sa prise ou enlever ce qui a été déposé, et alors le plus grave supplice accompagné de torture est la peine établie pour un tel acte. Les Gaulois se prétendent tous issus de Dis Pater et disent que c'est là une révélation des druides. Pour cette raison ils divisent le temps non par jours, mais par nuits : ils comptent les anniversaires de naissance, les débuts des mois et des années, de manière que le jour vienne après la nuit.

César, *De Bello gallico,*
L. Lerat, *in la Gaule Romaine,*
Errance, 1986

Un artiste grec en Gaule : Zénodore

Les trente-sept livres de l'Histoire naturelle de Pline l'Ancien (23/24 - 79 ap. J.-C.) constituent une véritable encyclopédie où se rencontrent mille et un détails sur la Gaule.

Mais le record en ce genre de statues a été battu de nos jours par Zénodore avec son Mercure exécuté dans la cité gauloise des Arvernes, en dix ans, et au prix de quarante millions de sesterces. Lorsqu'il eut ainsi suffisamment fait la preuve de son art, il fut appelé à Rome par Néron, où il exécuta un colosse haut de 119 pieds destiné à représenter cet empereur et qui a été consacré au Soleil pour être vénéré, après la condamnation des crimes de cet empereur. Nous admirions dans l'atelier [de Zénodore] non seulement la ressemblance remarquable dès le modèle d'argile, mais aussi les bâtonnets assez minces qui furent à l'origine du travail. Cette statue démontra que l'art de fondre le bronze n'était plus, alors que pourtant Néron était prêt à fournir largement or et argent et que Zénodore n'était inférieur à aucun des anciens dans l'art de sculpter et de ciseler. Tandis qu'il faisait la statue des Arvernes, alors que Dubius Avitus était gouverneur de la province, il imita deux coupes ciselées de la main de Calamis, que Germanicus César, qui les avait appréciées, donna à l'oncle de celui-ci Cassius Silanus, son précepteur : l'imitation était telle que c'est à peine s'il y avait une différence d'art.

Pline, *Histoire naturelle,* in L. Lerat, *op. cit.*

Le testament du Lingon

Le testament d'un riche citoyen de la cité des Lingons, dont Langres était le chef-lieu,

nous est connu par une copie sur parchemin du Xe siècle.

Je veux que le tombeau que j'ai fait édifier soit achevé suivant les plans que j'ai fixés, en forme d'exèdre, et qu'y soit placée une statue assise, du meilleur marbre, d'au-delà des mers, ou en feuilles de bronze de la meilleure qualité, haute d'au moins cinq pieds.

Que sous l'exèdre soit placée une litière et, sur les côtés, deux sièges en marbre d'au-delà des mers.

Que, pour s'y étendre aux jours ou la tombe sera ouverte, l'on y voie deux couvertures, une paire de coussins de repas, deux manteaux et une tunique.

Que devant le monument soit placé un autel, du meilleur marbre de Carrare, sculpté du mieux qu'il se pourra, dans lequel seront placées mes cendres. [...]

Que mon petit-fils Aquila et ses héritiers soient chargés de ces prestations.

Que sur le monument soient inscrits à l'extérieur les noms des magistrats qui auront vu le début de la construction, et le nombre d'années de mon existence.

Si l'on incinère, ou ensevelit quelqu'un, dans ce verger et dans ces lieux tels qu'il ordonné qu'ils fussent entretenus et plantés et tels que je les ai fait enclore d'un mur, en bordure du bassin, si l'on contrevient, à proximité de ce verger, aux prescriptions ci-dessus, mes héritiers en seront tenus pour responsables. [...]

Que tous ceux qui s'y rendront pour l'entretenir, à pied ou en voiture, aient un droit de passage vers le monument.

Si l'on incinère ou ensevelit quelqu'un, si l'on construit un monument funéraire à proximité, si l'on fait quoi que ce soit dans ce verger, cet emplacement et cet enclos, qui soit contraire à ce qui a été écrit ci-dessus,

S. Julius Aquila, fils de S. Julius Aquilinus, son héritier et leurs héritiers, s'il est contrevenu aux stipulations ci-dessus, ou s'ils n'exigent pas de leurs héritiers qu'elles soient respectées, seront condamnés à payer cent mille sesterces au trésor de la cité des Lingons. Cette amende devra menacer pour toujours tous les propriétaires du domaine.

Que tous ceux que j'ai affranchis de mon vivant, ou par testament apportent annuellement et individuellement une quote-part d'un sesterce. Que mon petit-fils Aquila et son héritier fournissent chaque année la somme de ... pour que chacun prépare des aliments et des boissons destinés à être exposés en dessous, et sur le devant du tombeau qui est du domaine de Litavis, qu'ils les consomment là, et qu'ils y demeurent jusqu'à ce qu'ils aient consommé l'ensemble. [...]

Je confie la charge de mes funérailles et de mes obsèques, de tous les détails, des édifices et des monuments à Sextus Julius Aquila, mon petit-fils, et à Macrinus fils de Reginus, et à Sabinus fils de Dumnedorix, et à Priscus mon affranchi, et procurateur, et je les prie de prendre soin des cérémonies que je désire après ma mort.

Je veux que tout mon attirail pour chasser et prendre les oiseaux soit brûlé avec moi, avec mes épieux, mes glaives, mes coutelas, mes filets, mes pièges, mes lacets, mes flèches, mes tentes, mes épouvantails, mes litières de bain, ma chaise à porteurs, et tous les ingrédients et l'attirail afférents à cette occupation, et mon canot léger en vannerie, sans que rien de tout cela ne soit soustrait, et tout ce que je laisserai en fait d'étoffes damassées et brodées et toutes les étoiles en cornes d'élan.

in J.-J. Hatt,
La Tombe gallo-romaine, Picard, 1986

Une ville célèbre : Bordeaux

Le poète gaulois de langue latine Ausone (309/310-393/394), surtout connu pour sa « Moselle », termine son classement des villes célèbres par une évocation de sa ville natale.

Depuis longtemps je me reproche un impie silence, ô ma patrie ! Toi, célèbre par tes vins, tes fleuves, tes grands hommes, les mœurs et l'esprit de tes citoyens, et la noblesse de ton sénat, je ne t'ai point chantée des premières ! comme si, convaincu de la faiblesse d'une pauvre cité, j'hésitais à essayer un éloge non mérité ! Ce n'est point là le sujet de ma retenue : car je n'habite point les rives sauvages du Rhin, ou les sommets de l'Hémus et ses glaces arctiques. Burdigala est le lieu qui m'a vu naître : Burdigala où le ciel est clément et doux ; où le sol, que l'humidité féconde, prodigue ses largesses ; où sont les longs printemps, les rapides hivers, et les coteaux chargés de feuillage. Son fleuve qui bouillonne imite le reflux des mers. L'enceinte carrée de ses murailles élève si haut ses tours superbes, que leurs sommets aériens percent les nues. On admire au dedans les rues qui se croisent, l'alignement des maisons, et la largeur des places fidèles à leur nom : puis les portes qui répondent en droite ligne aux carrefours, et, au milieu de la ville, le lit d'un fleuve alimenté par des fontaines ; lorsque l'Océan, père des eaux, l'emplit du reflux de ses ondes, on voit la mer tout entière qui s'avance avec ses flottes.

Parlerai-je de cette fontaine couverte de marbre de Paros, et qui bouillonne comme l'Euripe ? Qu'elle est sombre en sa profondeur ! comme elle enfle ses vagues ! quels larges et rapides torrents elle roule par les douze embouchures ouvertes à son cours

Les piliers de Tutelle de Bordeaux appartenaient au portique entourant le *forum*. Louis XIV les fit détruire en 1675 pour édifier le Château-Trompette.

captif dans la margelle, et qui pour les nombreux besoins du peuple ne s'épuise jamais ? Tu aurais bien voulu, roi des Mèdes, rencontrer pour ton armée cette fontaine, quand les fleuves desséchés te firent faute ; et promener ses eaux par les villes étrangères, toi qui ne portais partout et toujours avec toi que l'eau du Choaspès.

Salut, fontaine dont on ignore la source, fontaine sainte, bienfaisante, intarissable, cristalline, azurée, profonde, murmurante, limpide, ombragée. Salut, génie de la ville, qui nous verses un breuvage salutaire, fontaine appelée *Divona* par les Celtes, et consacrée comme une divinité. L'Apone ne donne pas un plus sain breuvage, le Nemausus un cristal plus

pur, le Timave et ses vagues marines une onde plus abondante.

Que ce dernier chant ferme le cercle des villes célèbres. Si Rome brille à l'autre extrémité, que Burdigala fixe sa place à celle-ci, et partage ainsi le faîte des honneurs. Burdigala est ma patrie ; mais Rome passe avant toutes les patries. Burdigala a mon amour, Rome a mon culte ; citoyen dans l'une, consul dans toutes les deux, mon berceau est ici, et là ma chaise curule.

Ausone,
Ordo nobilium urbium,
trad. E.F. Corpet, Firmin-Didot, 1887

La Gaule revue et corrigée par Eugène Sue

« Le Collier de fer », quatrième récit de l'histoire d'une famille de prolétaires à travers les âges intitulée Les Mystères du peuple, *relate le « sort de nos pères esclaves », entre 40 av. J.-C. et 10 de notre ère.*

C'était sous le règne d'Octave-Auguste empereur, seize ans après que César, le fléau des Gaules, avait été puni comme traître et parjure à la république romaine, par le poignard de Brutus.

Octave-Auguste régnait sur l'Italie et sur la Gaule, notre patrie, complètement asservie, après des luttes héroïques !...

La ville d'Orange, une des villes les plus riches de la Gaule provençale ou narbonnaise, dont les Romains se sont emparés, et où ils se sont établis depuis plus de deux cents ans, est devenue une ville complètement romaine par son luxe, ses mœurs et sa dépravation. Dans ces contrées, moins âpres que notre Bretagne, le climat est doux comme le climat d'Italie ; le printemps et l'été y sont perpétuels, et, comme en Italie, le citronnier, l'oranger, le grenadier, le figuier, le laurier rose se mêlent aux

Les heures sont pro-chai-nes Et Rome de nos hai-nes, bien

Oui Ro-me de nos hai-nes bientôt re-ten-ti-ra,

-tôt re-ten-ti-ra, re-ten-ti-ra, re-ten-ti-

-tôt re-ten-ti-ra, oui bientôt re-ten-ti-ra,

Les années qui suivent la conquête de la Gaule ont fourni à Alexandre Saumet le thème d'une tragédie. Felice Romani s'en inspira pour écrire le livret de *Norma*, l'opéra de Giovanni Bellini créé à Milan en 1831.

colonnades des temples de marbre, bâtis par les Romains, depuis qu'ils sont maîtres de ces belles provinces de notre pays.

Par une nuit d'été, qu'éclairait une lune brillante, un homme... non... un esclave gaulois (car il avait la tête rasée, portait au cou un collier de fer poli, et était vêtu d'une livrée) sortait des faubourgs de la ville d'Orange. Attaché au service intérieur de la maison de son maître, il n'était pas enchaîné comme les esclaves des champs ou de la plupart des fabriques, appelés pour cela *gente ferrée*.

Après avoir passé devant le cirque immense où se donnent les combats de gladiateurs, et où sont renfermés les bêtes féroces, lions, éléphants et tigres, dont on sentait au loin la fauve et âcre odeur, l'esclave suivit pendant quelque temps les avenues de lauriers roses et de citronniers en fleurs, dont sont entourées les somptueuses villas romaines.

Eugène Sue,
les Mystères du peuple,
R. Desforges, 1977

Le pont du Gard

Profitant d'une nuit de pleine lune, un touriste nommé Stendhal a quitté Nîmes pour Remoulins. Le 3 août 1837 au matin, il est installé à l'ombre, sous une arcade du pont du Gard.

Vous savez que ce monument, qui n'était qu'un simple aqueduc, s'élève majestueusement au milieu de la plus profonde solitude.

L'âme est jetée dans un long et profond étonnement. C'est à peine si le Colisée, à Rome, m'a plongé dans une rêverie aussi profonde.

Ces arcades que nous admirons faisaient partie de l'aqueduc de sept lieues de long qui conduisait à Nîmes les eaux de la fontaine d'Eure ; il fallait leur faire traverser une vallée étroite et profonde ; de là le monument.

On n'y trouve aucune apparence de luxe et d'ornement : les Romains faisaient de ces choses étonnantes, non pour inspirer l'admiration, mais simplement et quand elles étaient utiles. L'idée éminemment moderne, *l'arrangement pour faire de l'effet*, est rejetée bien loin de l'âme du spectateur, et si l'on songe à cette manie, c'est pour la mépriser. L'âme est remplie de sentiments qu'elle n'ose raconter, bien loin de les exagérer. Les passions vraies ont leur pudeur.

Trois rangs d'arcades en plein cintre, d'ordre toscan, et élevées les unes au-dessus des autres, forment cette grande masse qui a six cents pieds d'étendue sur cent soixante de hauteur.

Le premier rang, qui occupe tout le fond de l'étroite vallée, n'est composé que de six arcades.

Le second rang, plus élevé, trouve la vallée plus large, et a onze arcades. Le troisième rang est formé de trente-cinq petits arcs fort bas ; il fut destiné à atteindre juste au niveau de l'eau. Il a la même longueur que le second, et porte immédiatement le canal, lequel a six pieds de large et six pieds de profondeur. Je ne tenterai pas de faire des phrases sur un monument sublime, dont il faut voir une estampe, non pour en sentir la beauté, mais pour en

comprendre la forme, d'ailleurs fort simple et exactement calculée pour l'utilité.

Par bonheur pour le plaisir du voyageur né pour les arts, de quelque côté que sa vue s'étende, elle ne rencontre aucune trace d'habitation, aucune apparence de culture : le thym, la lavande sauvage, le genévrier, seules productions de désert, y exhalent leurs parfums solitaires sous un ciel d'une sérénité éblouissante. L'âme est laissée toute entière à elle-même, et l'attention est ramenée forcément à cet ouvrage du peuple-roi qu'on a sous les yeux. Ce monument doit agir, ce me semble, comme une musique sublime, c'est un événement pour quelques cœurs d'élite, les autres rêvent avec admiration à l'argent qu'il a dû coûter.

Comme la plupart des grands monuments des Romains, le pont du Gard est construit en pierres de taille posées à sec sans mortier ni ciment. Les parois de l'aqueduc sont enduites d'un ciment qui se conserve encore. Une fois j'eus le loisir de suivre cet aqueduc dans

les montagnes ; il se divisait en trois branches, et le guide me fit suivre ses traces dans une longueur de près de trois lieues ; le conduit étant souterrain a été mieux conservé.

Le Gardon passe sous le pont du Gard ; et comme souvent il n'est pas guéable, les états du Languedoc firent bâtir, en 1747, un pont adossé à l'aqueduc. Au dix-septième siècle, on avait essayé de rendre praticable aux voitures le dessus de la seconde rangée d'arcades.

On arrive à l'aqueduc proprement dit, supporté par trois arcades, en gravissant l'escarpement qui borde la rive droite du Gardon.

Stendhal,
Mémoires d'un touriste
Pauvert, 1955

« La Vénus d'Ille »

En 1837, ses longues tournées d'inspecteur de la commission des Monuments historiques fournissent à Mérimée le thème d'une nouvelle fantastique.

J'étais recommandé à M. de Peyrehorade par mon ami M. de P.

C'était, m'avait-il dit, un antiquaire fort instruit et d'une complaisance à toute épreuve. Il se ferait un plaisir de me montrer toutes les ruines à dix lieues à la ronde. Or je comptais sur lui pour visiter les environs d'Ille, que je savais riches en monuments antiques et du Moyen Age. Ce mariage, dont on me parlait alors pour la première fois, dérangeait tous mes plans.

Je vais être un trouble-fête, me dis-je. Mais j'étais attendu ; annoncé par M. de P., il fallait bien me présenter.

« Gageons, monsieur, me dit mon guide, comme nous étions déjà dans la plaine, gageons un cigare que je devine ce que vous allez faire chez M. de Peyrehorade ?

– Mais, répondis-je en lui tendant un cigare, cela n'est pas bien difficile à deviner. A l'heure qu'il est, quand on a fait six lieues dans le Canigou, la grande affaire, c'est de souper.

– Oui, mais demain ?... Tenez, je parierais que vous venez à Ille pour voir l'idole ? j'ai deviné cela à vous voir tirer en portrait les saints de Serrabona.

– L'idole ! quelle idole ? » Ce mot avait excité ma curiosité.

« Comment ! on ne vous a pas conté,

à Perpignan, comment M. de Peyrehorade avait trouvé une idole en terre ?

— Vous voulez dire une statue en terre cuite, en argile ?

— Non pas. Oui, bien en cuivre, et il y en a de quoi faire des gros sous. Elle vous pèse autant qu'une cloche d'église. C'est bien avant dans la terre, au pied d'un olivier, que nous l'avons eue.

— Vous étiez donc présent à la découverte ?

— Oui, monsieur. M. de Peyrehorade nous dit, il y a quinze jours, à Jean Coll et à moi, de déraciner un vieil olivier qui était gelé de l'année dernière, car elle a été bien mauvaise, comme vous savez. Voilà donc qu'en travaillant Jean Coll qui y allait de tout cœur, il donne un coup de pioche, et j'entends bimm... comme s'il avait tapé sur une cloche. Qu'est-ce que c'est ? que je dis. Nous piochons toujours, nous piochons, et voilà qu'il paraît une main noire, qui semblait la main d'un mort qui sortait de terre. Moi, la peur me prend. Je m'en vais à Monsieur, et je lui dis : — Des morts, notre maître, qui sont sous l'olivier ! Faut appeler le curé. — Quels morts ? qu'il me dit. Il vient, et il n'a pas plutôt vu la main qu'il s'écrie : — Un antique ! un antique ! — Vous auriez cru qu'il avait trouvé un trésor. Et le voilà, avec la pioche, avec les mains, qui se démène et qui faisait quasiment autant d'ouvrage que nous deux.

— Et enfin que trouvâtes-vous ?

— Une grande femme noire plus qu'à moitié nue, révérence parler, monsieur, toute en cuivre, et M. de Peyrehorade nous a dit que c'était une idole du temps des païens... du temps de Charlemagne, quoi !

— Je vois ce que c'est... Quelque bonne Vierge en bronze d'un couvent détruit.

Découverte en Arles en 1651, cette Vénus fut offerte à Louis XIV en 1683.

— Une bonne Vierge ! ah bien oui !... Je l'aurais bien reconnue, si ç'avait été une bonne Vierge. C'est une idole, vous dis-je ; on le voit bien à son air. Elle vous fixe avec ses grands yeux blancs... On dirait qu'elle vous dévisage. On baisse les yeux, oui, en la regardant.

— Des yeux blancs ? Sans doute ils sont incrustés dans le bronze. Ce cera peut-être quelque statue romaine.

— Romaine ! c'est cela. M. de Peyrehorade dit que c'est une Romaine. Ah ! je vois bien que vous êtes un savant comme lui.

— Est-elle entière, bien conservée ?

— Oh ! monsieur, il ne lui manque rien. C'est encore plus beau et mieux fini que le buste de Louis-Philippe, qui est à la mairie, en plâtre peint. Mais avec tout cela, la figure de cette idole ne me revient pas. Elle a l'air méchante... et elle l'est aussi.

Prosper Mérimée,
La Vénus d'Ille et autres nouvelles,
Flammarion, 1982

La ville et son passé gallo-romain

« Que faire des Gallo-Romains ?» Question irritante et embarrassante, à laquelle les villes, au cours des siècles, ont répondu de diverses manières : par la destruction, la réutilisation, la conservation... Depuis plus de vingt ans, le développement fulgurant des grands travaux d'aménagement urbain a donné à l'interrogation une acuité particulière.

Le destin des monuments de la Gaule romaine

Les édifices des villes gallo-romaines ont parfois traversé les siècles. L'histoire de leur seconde vie est riche d'enseignements.

Une ville est un organisme vivant qui, au gré de ses phases de repli ou de développement, abandonne, absorbe, transforme ou détruit les bâtiments que lui ont légués les générations antérieures. A ces phénomènes de réduction ou de dilatation spatiale s'ajoutent à l'ordinaire de sensibles modifications dans les niveaux d'occupation, dont la conséquence est d'enfouir sous les structures récentes les vestiges anciens.

Un édifice public ou privé n'est, lui, vivant que durant la période où il répond aux fonctions pour lesquelles il a été conçu. Dès que cessent d'être réunies les conditions politico-économiques, religieuses et culturelles qui ont permis ou suscité sa naissance, il court le risque de perdre sa raison d'être. S'il n'est pas détruit du fait des vicissitudes historiques ou par la volonté des particuliers ou des édiles, soucieux de récupérer l'espace qu'il occupe et les matériaux qui le composent, il devient très vite un objet mal compris ou mal utilisé, jugé encombrant par la communauté. Livré sans défenses à toutes les déprédations physiques ou humaines, il constitue dans le tissu urbain une manière de nécrose. [...]

Et la réaction normale de l'opinion, devant les rares témoins qui échappent au naufrage, a longtemps été, au mieux, l'indifférence.

Les grands monuments de la période romaine qui, dans les villes françaises, sont parvenus jusqu'à nous, ne doivent le plus souvent leur survie qu'à des détournements fortuits de fonction, qui tout en leur faisant subir de graves et parfois irrémédiables mutilations, leur ont permis de traverser les siècles incognito : temples transformés en églises, en bâtiments conventuels, en entrepôts ou en granges ; théâtres ou amphithéâtres ayant servi de bastions fortifiés, ou abrité des quartiers populaires ; arcs ou portes intégrés à des murailles médiévales ou à des édifices publics ; murs sur lesquels on s'est appuyé, etc. L'édifice isolé, et non récupérable, a toujours été, et jusqu'à une date récente, menacé de destruction totale : l'« Arc du Rhône » à Arles, les « Piliers de Tutelle » à Bordeaux, la « Porte Bazée » à Reims, la « Tour funéraire » à Aix, offrent des exemples, parmi beaucoup d'autres, de ces disparitions de vestiges insignes, qui jalonnent encore nos XVIIe et XVIIIe s.

Le temple de Livie à Vienne.

L'intérêt agissant porté à la conservation des monuments anciens, du moins à ceux qui appartiennent à un univers socio-culturel entièrement révolu, suppose un sens de la continuité historique et un souci de l'identité culturelle, qui n'apparaissent que tardivement dans la mentalité des responsables, et plus encore dans celle du public. En France, il faut attendre le premier tiers du XIXe s. et la vogue, entretenue par le romantisme, des monuments « nationaux », pour que se développent à la fois un grand mouvement d'opinion et des institutions adaptées.

Mais, qu'elle soit animée par des groupes actifs d'« antiquaires » régionaux, comme ce fut le cas dans certaines villes de l'ouest ou du sud-est dès le XVIIIe s., ou dictée par l'administration centrale, la volonté de mettre à l'abri des périlleux hasards de la survivance les monuments les plus anciens s'est souvent accompagnée d'un souci d'isolement qui les

transforme en bibelots urbains et, bientôt, en objets touristiques : le caractère arbitraire ou insolite de ces présences massives, coupées de leur contexte, ne contribue guère, à Orange, Reims, Saintes, Besançon ou Paris à redonner vie aux liens qui unissent la ville contemporaine à son propre passé. La marginalisation des vestiges dans des ghettos archéologiques entraîne à plus ou moins long terme leur abandon ou leur dégradation : on se contente de tourner autour de ces témoins amorphes, réduits à l'état d'obstacles topographiques, même s'ils informent encore une grande part du paysage urbain.

Rares sont en fait les cas d'intégrations réussies. Plus rares encore les exemples où le monument antique, rendu à sa dignité première, a suscité un urbanisme spécifique, consciemment axé sur ses volumes et accordé à son décor.

Pierre Gros,
catalogue de l'exposition
Archéologie et projet urbain,
De Luca, 1985

Maison Carrée de Nîmes, construite sous le règne d'Auguste.

Capitole de Richmond (Virginie), édifié sur les plans de Th. Jefferson, vers 1785.

Gréco-romain ou gallo-romain ?

Au début du XIXᵉ siècle, le modèle architectural gallo-romain est absent du débat esthétique, dont le thème principal est, plus que jamais, l'hellénisme.

Lorsqu'un édifice gallo-romain suscite quelque admiration, c'est, alors, au prix d'un véritable contre-sens historique : la Maison Carrée, par exemple, doit son prestige aux yeux d'un Thomas Jefferson, le futur président des Etats-Unis, comme à ceux de Stendhal, au fait qu'elle passe pour un chef d'œuvre tout hellénique d'équilibre et de « pureté ». C'est cela qui vaudra à ce temple romain d'être partiellement reproduit dans le Capitole de Richmond (Virginie), et d'entrer ainsi dans la série des édifices « grecs » reproduits dans le Nouveau Monde, tel le monument de Lysicratès, que W. Strickland placera au sommet de la Bourse de Commerce de Philadelphie.

Et surtout, les vestiges gallo-romains sont déjà confusément ressentis comme marginaux, sinon étrangers, par rapport à l'« héritage », qu'il soit historique ou idéologique. Dans une démarche de « retour aux sources », ils n'ont pas leur place, et quand Quatremère de Quincy s'écrie en 1820 : « Nous sommes les descendants des Grecs et des Romains. Le culte de l'Antiquité est pour nous celui des Aïeux », il n'a certainement pas en tête les colons italiens ou les Gaulois romanisés à qui l'on doit les grands ensembles monumentaux des villes du sud-est. [...]

Malgré une admiration souvent sincère pour la perfection de leur stéréotomie, la qualité ou la variété de leur décor, l'équilibre de leurs volumes, et leur aptitude à créer des axes et à hiérarchiser les espaces, les monuments gallo-romains resteront, pour les uns, les manifestations tardives et abâtardies d'un art « gréco-romain » qui se provincialise, et pour d'autres, les témoins d'une période d'oppression des ethnies régionales.

Pierre Gros, *op. cit.*

L'archéologie à Lyon

L'exemple de la capitale des Trois Gaules, Lyon, illustre emblématiquement l'évolution de l'archéologie gallo-romaine en milieu urbain.

L'archéologie lyonnaise a un très long passé lié à une tradition de recherche historique qui remonte au début du XVIᵉ siècle : à cette époque la ville présente encore de nombreux vestiges. Des documents parfois prestigieux voient souvent le jour : les Tables claudiennes sont extraites du sol de la Croix-Rousse en 1624. Des collections d'antiques se constituent, cabinets d'antiquaires qui commencent à regrouper les très riches séries épigraphiques. Cet intérêt pour l'histoire de la ville peut s'expliquer par l'intense activité humaniste qu'elle connaît au XVIᵉ et au XVIIᵉ siècle, et le souvenir du rôle de Lyon comme capitale des Gaules a probablement poussé les Lyonnais à s'intéresser particulièrement à la période romaine.

L'élément moteur de la recherche, surtout depuis le XVIIᵉ siècle, a été la « quête » de l'amphithéâtre où furent mis à mort les premiers martyrs de l'Église de Gaule. C'est à sa recherche que Artaud entreprend une fouille au début du XIXᵉ siècle sur les pentes de la Croix-Rousse. C'est toujours dans le même but que E. Herriot, en 1935, ouvre le chantier de Fourvière. On y découvrira successivement un théâtre, un odéon et l'ensemble que A. Audin identifie à un temple de Cybèle. A cette occasion se crée un atelier municipal des Fouilles chargé du dégagement et de la restauration des structures découvertes. L'amphithéâtre est définitivement identifié et dégagé à partir de 1958.

A côté de ces recherches monumentales, une tradition de surveillance des travaux publics, dont deux bons exemples sont donnés par Artaud et Steyert, permet de préciser quelques traits de l'agglomération antique. Parfois, ces observations sont presque des fouilles de sauvetage comme celles d'Allmer et Dissard à Trion en 1885-1886 à l'occasion de la construction d'une ligne de chemin de fer (et publiées dès 1887 !).

Enfin, cherchant à dépasser la recherche d'un monument ou les observations fragmentaires, une tentative de recherche programmée systématique est menée de 1911 à 1913 par Fabia et Germain de Montauzan et elle se prolongera avec plus ou moins de bonheur jusqu'à la dernière guerre, les campagnes étant liées aux crédits. [...]

L'aboutissement de ces travaux est matérialisé par deux ouvrages : *Lyon, métropole des Gaules* de P. Wuilleumier en 1953, et l'*Essai sur la topographie de Lugdunum* de A. Audin, 3ᵉ édition complétée en 1964. Utilisant textes antiques, documents épigraphiques, analyses de fouilles ou de découvertes fortuites, ces ouvrages tendent à donner une idée presque achevée de l'agglomération antique. [...]

Au début années soixante, se produit un tournant qu'il est possible aujourd'hui d'analyser : la politique de grands travaux de la mairie de Lyon bouleverse le sous-sol de la ville avec une brutalité proche de celle des grands travaux du XIXᵉ siècle : parkings, immeubles, élargissement de rues, tunnels touchant aussi bien les quartiers périphériques que le cœur de la ville. Les programmes immobiliers sont d'ailleurs facilités par la vente de nombreuses propriétés religieuses en particulier sur la colline de Fourvière. Face à ces destructions, l'équipe municipale doit se contenter de suivre les terrassements, quand on l'y autorise, relevant les plans de maçonneries apparentes, parce que coupées par les engins, récupérant les documents épigraphiques et un peu de matériel : il n'y a jamais de fouille proprement dite, aussi des surfaces très importantes sont-elles définitivement détruites : entrée du tunnel sous Fourvière où l'on récupère néanmoins une mosaïque, une inscription et une niche décorée, immeuble de la Paix où l'on doit se contenter de relever sommairement un plan partiel sans élément de chronologie, parking Bellecour où rien ne peut être fait et dont les terrassements constituent un véritable désastre, et le métro dont le bilan archéologique est à peu près négatif [...].

En 1966, pour la première fois, la direction des Antiquités bloque un chantier de construction pendant quatre mois et permet la fouille très rapide d'un atelier de sigillée augustéenne, centre d'un véritable quartier artisanal sur les bords de la Saône et élément très important pour l'histoire de cette céramique. Les interventions de ce type deviennent alors de plus en plus fréquentes ; citons : le dépotoir du Bas-de-Loyasse (agrandissement d'un cimetière), une *insula* au nord-ouest du Théâtre (foyer de jeunes filles : la « Voie romaine » en 1972), un quartier *extra muros* (immeubles des Hauts-de-Saint-Just, en 1974), et enfin, un quartier complet avec *domus* à péristyle, boutiques et thermes publics monumentaux (immeubles rue des Farges 1974-1980).

Toutes ces opérations ont un trait commun : il s'agit de découvertes provoquées par des terrassements qui doivent être soit partiellement soit totalement interrompus. Cette interruption intervenant à l'amiable sauf dans le cas de la rue des Farges, le délai de fouille est toujours beaucoup trop bref pour permettre une étude rigoureuse et des destructions irréparables ont parfois eu lieu. Il ne s'agit donc pas d'interventions préventives, et dans un cas, rue des Farges, un tel projet a été repoussé par les autorités municipales alors même que les terrains étaient libres depuis plusieurs années. En règle générale, les archéologues ne sont toujours pas considérés comme des interlocuteurs crédibles ni par la direction départementale de l'Équipement (DDE) ni par la municipalité. Et, sauf dans le cas des vestiges médiévaux sur lesquels nous reviendrons, aucun des sites énumérés plus haut n'a été, en tout ou partie, conservé. [...].

Si les problèmes ne manquent pas, les raisons d'espérer sont nombreuses. Un revirement complet des mentalités s'est opéré depuis vingt ans. Des chocs comme les destructions sur les sites des Hauts-de-Saint-Just ou de la rue des Farges, mais aussi l'information systématique des habitants, des modifications dans la municipalité qui crée une commission archéologique extra-municipale particulièrement efficace, enfin le rayonnement du nouveau Musée gallo-romain expliquent, entre autres, cette évolution. Il ne s'agit plus d'intervenir pendant les terrassements et à la sauvette en bloquant plus ou moins longtemps des terrains partiellement bouleversés, mais de programmer les interventions, de les intégrer au projet.

Au niveau des mécanismes de l'urbanisme, l'intervention de l'archéologue est admise maintenant au même titre que celle du géologue. Le plan d'occupation des sols en cours de révision a très largement pris en compte la notion de risque archéologique. Trois zones ont été définies :

– un parc archéologique, dont l'essentiel appartient à la Collectivité et qui devient inconstructible ;

– autour de ce parc, une large zone où les constructions ne sont autorisées que pour remplacer les bâtis existants, avec la même emprise au sol, au même endroit, et après contrôle par les archéologues ;

Une dédicace découverte en 1958 a révélé que l'amphithéâtre de Lyon avait été construit en 19, sous le règne de Tibère, aux frais du grand-prêtre de Rome et d'Auguste C.I. Rufus.

– dans le reste de la ville antique et médiévale tout pétitionnaire de certificat d'urbanisme puis de permis de construire sera averti du risque archéologique et des dispositions de la loi de 1941 et des décrets d'urbanisme de 1977. Il devra prendre contact avec la direction des Antiquités pour préparer une éventuelle intervention préventive. Il ne s'agit donc, dans cette troisième zone que d'une application rigoureuse de la loi.

Le parti adopté à Lyon a donc été la mise en réserve de l'essentiel. Une solution très différente est à l'étude pour Sainte-Colombe, au sud de Saint-Romain-en-Gal, où l'on cherche à intégrer complètement l'agglomération antique dans un projet de rénovation urbaine.

Jacques Lasfargues,
Actes du colloque international de Tours
« Archéologie urbaine »
novembre 1980

Maquette de reconstitution en élévation du théâtre et de l'odéon de Lyon.

Vaison-la-Romaine

De vastes demeures privées, des rues bordées de boutiques, un théâtre, des thermes, un pont... Vaison est l'un des plus grands, des plus riches sites gallo-romains, et mérite pleinement son surnom : la Romaine. Son passé archéologique, de la collecte avide d'objets précieux à la fouille stratigraphique la plus méticuleuse, est aussi celui de nombreux sites.

Les recherches archéologiques

Les premiers travaux archéologiques entrepris à Vaison remontent... au XVᵉ s. ! Ce n'étaient pas des fouilles, bien sûr, mais des collectes d'objets ou de petits monuments : sculptures, tombeaux. Au XVIIᵉ, Vaison eut la chance d'avoir pour évêque Joseph-Marie de Suarès. Durant les 32 années de son épiscopat (1634-1666), il accomplit un gigantesque travail, parcourant les ruines, examinant les vestiges, décrivant ses découvertes ; c'est à lui que nous devons, entre autres, la connaissance de nombreuses inscriptions romaines dont on a, depuis lors, souvent perdu la trace. Au XVIIIᵉ, des érudits sans cesse plus nombreux s'intéressent aux « antiquités » de Vaison, et publient des *Mémoires* et des *Histoires*.

Au début du XIXᵉ s., après un temps d'arrêt lié à la Révolution, c'est l'incroyable collection constituée en quelques années par un notaire qui appelle de nouveau l'attention sur Vaison. En 1821, une commission départementale est créée « pour les recherches à faire sur les monuments antiques qui existent dans le département du Vaucluse », puis, en 1837, c'est une *Commission des fouilles de Vaison* qui est constituée. [...]

La commission les finance à la condition que, sous réserve d'un juste dédommagement aux propriétaires, le produit des fouilles soit déposé au musée Calvet d'Avignon. Prosper Mérimée, inspecteur des Monuments historiques, octroie des subventions. Jusqu'en 1870, règne une grande activité : fouilles dans le théâtre, aux thermes du Nord et en divers autres endroits. Sortent du sol des pièces spectaculaires, comme la fameuse statue du Diadumène, réplique de l'œuvre du sculpteur grec Polyclète, qu'acquit le British Museum. Malgré les efforts des autorités civiles et religieuses de Vaison, en dépit de la constitution d'un petit musée privé, puis du rassemblement de nombreuses pièces (chapiteaux, colonnes, bas-reliefs, etc.) dans le cloître de la cathédrale, l'exode continuait : la plupart des trouvailles de l'époque partaient vers Avignon (musée Calvet), mais d'autres eurent des destinations plus lointaines, comme le musée des Antiquités nationales de Saint-Germain-en-Laye, près de Paris. [...]

En 1907, un jeune abbé d'Avignon, Joseph Sautel, engage un travail universitaire sur la capitale des Voconces. Après avoir compulsé la documentation disponible, il ouvre de nouvelles fouilles que viennent rapidement aider des subventions d'État. Ses travaux dans le théâtre mettent au jour les statues impériales ou municipales aujourd'hui visibles dans le musée. Dès lors, les choses s'accélèrent : achat par la ville (aidée par l'Etat) de toute la colline de Puymin ; entreprise des premières restaurations sous la direction de Jules Formigé, architecte en chef ; accroissement des subventions de

fouille grâce, notamment, au mécénat exercé à partir de 1925 par un industriel alsacien, Maurice Burrus – un nom prédestiné : c'était celui du plus célèbre fils de Vaison, Burrus, le précepteur de l'empereur Néron. [...]

Après la mort de J. Sautel, en 1955, le rythme des recherches s'est ralenti, même si une autre grande figure de l'archéologie régionale (Henri Rolland, le fouilleur de Glanum) a, quelque temps, continué ses travaux, finissant le dégagement de la Maison au Dauphin et entamant la fouille de la villa du Paon.

Depuis 1965, les travaux menés à Vaison (si l'on excepte les urgences) visent moins à dégager de grands ensembles qu'à préciser nos connaissances par des recherches méticuleuses et par des sondages en profondeur.

Histoire de Vaison

Nous savons, par des auteurs latins (comme Pline) ou par des inscriptions romaines, que Vaison s'appelait officiellement *Vasio Vocontiorum*, c'est-à-dire « Vaison des Voconces ». Dès avant la conquête romaine, elle était la capitale de ce peuple, un peuple de souche celtique qui occupait un territoire étendu dans les Préalpes. [...]

En 125 av. J.-C., Marseille (*Massilia*), la colonie grecque, lance un appel à Rome : elle est assiégée par les Gaulois. En 124 et 123, les légions romaines mènent deux campagnes au cours desquelles elle vainquent successivement les Ligures, les Voconces et les Salluviens. Puis les Allobroges sont à leur tour vaincus. Le Languedoc est également conquis. Une province est créée qui s'appelle d'abord Gaule Transalpine, puis (à partir du règne d'Auguste, en 27 av. J.-C.) Gaule Narbonnaise, du nom de sa capitale Narbonne. Rome organise la province en la divisant en « cités » (*civitates*), c'est-à-dire en circonscriptions territoriales ayant à leur tête un chef-lieu. Le territoire des Voconces constitue l'une de ces cités, avec, pour chef-lieu, Vaison.

Cette cité des Voconces a reçu de Rome, dans des circonstances que l'on ignore, un statut privilégié : celui de « cité fédérée » (*civitas fœderata*). Elle jouit (au moins en théorie, car cela ne la dispense pas de payer les impôts) d'une certaine autonomie, et, de fait, ses institutions sont originales et même uniques en Gaule.

Pendant plus de trois siècles (Ier s. av.-IIIe s. ap. J.-C.), la cité des Voconces connut la paix romaine en conservant ses anciennes frontières. Vaison était la capitale politique, où siégeaient les organes du gouvernement et où résidaient les hauts personnages de la cité. Certains de ceux-ci eurent un destin glorieux au sein de l'Empire : Sextus Afranius Burrus, chevalier romain, qui commanda la garde impériale et fut précepteur du jeune Néron, Lucius Duvius Avitus, consul de Rome en 56, et, peut-être, le grand historien Tacite.

Entre 250 et 300 ap. J.-C., le territoire des Voconces, qui n'avait formé qu'une seule cité, fut divisé en quatre. Vaison conserva la direction de sa partie sud-ouest, mais trois autres cités furent créées, avec, à leur tête, Die, Gap et Sisteron. A cette même époque, se mirent en place les cadres de l'organisation chrétienne : aux quatre nouvelles cités, correspondirent quatre diocèses ecclésiastiques qui ont vécu jusqu'au XVIIIe s.

La ville antique

Les constructions romaines les plus anciennes décelées (jusqu'à présent)

par les fouilles remontent aux environs de 40-30 av. J.-C. et se situent au Nord de l'Ouvèze. Contrairement à ce qui s'est produit pour la plupart des villes de Gaule, il ne semble pas qu'un plan rigoureux d'urbanisme ait été conçu dès le départ, avec des rues se croisant à angle droit et des îlots égaux regroupant maisons et monuments.

Le plan général montre des dispositions très irrégulières qui ne sont pas seulement imputables au relief mais qui dénotent plutôt une croissance progressive assez libre qu'on ne chercha à régulariser que dans la deuxième moitié du Ier s.

A la différence de Nîmes, Arles ou Fréjus, Vaison n'est pas délimitée par un rempart. Pour connaître l'étendue de la ville, il faut donc nous fier à l'implantation des nécropoles qui en formaient les abords et au tracé des voies. Le calcul, forcément imprécis, permet de restituer une superficie d'environ 60 à 70 hectares, soit plus que Fréjus et Arles, mais beaucoup moins que Nîmes (qui atteint 200 ha). On ne saurait donc attribuer à Vaison un nombre très élevé d'habitants : peut-être 9 à 10 000, et probablement moins. Il n'empêche que, pour la Gaule de cette époque, le chiffre est très honorable. Un écrivain latin, Pomponius Mela, vers 50, range Vaison parmi les villes les plus opulentes (*urbes opulentissimae*) de la province.

De ces 60 ou 70 hectares, près d'une quinzaine ont été dégagés. D'autres vestiges sont connus par des découvertes anciennes ou récentes : mosaïques dans des caves de maisons modernes, égouts romains sous des rues actuelles, etc. Chaque année, de nouvelles données s'ajoutent qui améliorent nos connaissances. Celles-ci se heurtent cependant à un obstacle : la plus grande partie des ruines romaines est recouverte par la ville actuelle. Or, il s'agit du cœur de la cité : c'est là que se trouvaient sans doute le *forum* (connu par une inscription) et les grands édifices civils et religieux. Il ne faut donc pas s'étonner si, à l'exception du théâtre et de thermes, la visite offre surtout des vestiges d'habitations privées.

La Vaison dont le visiteur parcourt les ruines est, pour l'essentiel, celle du IIe s., date à laquelle elle a pris son aspect définitif. Sous ces vestiges, des fouilles pourraient retrouver les édifices plus anciens, ceux de la fin du Ier s. av. ou du Ier s. ap. J.-C. Mais une telle entreprise conduirait à défigurer le site et, d'autre part, les consolidations et restaurations pratiquées depuis soixante-dix ans rendraient de tels travaux difficiles et coûteux : il faudrait commencer par casser les chapes de béton qui ont été presque partout coulées pour former des sols « propres ».

C. Goudineau et Y. de Kisch,
Vaison-la-Romaine,
Guides archéologiques
de la France, 1984

Dans la rue des Boutiques, en contrebas de la chaussée dallée large de 4,20 m, les piétons circulaient et faisaient leurs achats à l'abri d'un portique à colonnade.

Alésia, une ville gallo-romaine à travers son habitat

Alésia n'est pas seulement le site de la défaite de Vercingétorix devant César, c'est aussi le nom d'une agglomération gauloise puis gallo-romaine importante des Trois Gaules.

Une ville moyenne parmi tant d'autres

L'urbanisation en Gaule ne s'est pas seulement traduite par la création des colonies de Narbonnaise ou de la frontière rhénane ou par celle des villes « romaines », capitales de cité, qu'illustrent dans le Centre-Est les exemples d'Autun, de Langres ou de Besançon. Sous la trame lâche de ces grandes villes des dizaines de *vici* indigènes romanisés ou nés à l'époque impériale tissent un réseau dense d'agglomérations de toutes tailles, aux fonctions différenciées, qui assument vis-à-vis de la campagne environnante le rôle des chefs-lieux d'arrondissement ou de canton d'aujourd'hui. [...]

Alésia et les travaux de siège, tels que les imaginait au XVIIe siècle l'humaniste flamand Juste Lipse.

Ce n'est pas la fonction politique ou administrative qui – à la différence des chefs-lieux de cité – caractérise ce type de ville ; les fonctions de production artisanale et de marché local ou régional l'emportent sur les fonctions administratives secondaires. Grâce aux ressources tirées de ces activités – complétées probablement par les prélèvements opérés sur le monde rural environnant – une population d'origine indigène transforme progressivement son genre de vie à l'imitation des grandes villes. Sous le regard de l'autorité centrale de la cité et probablement avec une part d'intervention extérieure dont le poids et les modalités restent encore à étudier, se met en place le cadre architectural de la vie publique de ces centres régionaux.

Artisans et commerçants aménagent – dans le cadre des contraintes imposées par les notabilités locales qui transparaissent parfois à travers le plan d'urbanisme – le lieu de leur vie quotidienne et de leurs activités artisanales ou marchandes d'une façon originale, à la fois très proche et très différente de celle qui prévaut dans les grandes villes. [...]

L'agglomération a occupé aux IIe et IIIe s. la totalité des 97 ha du Mont-Auxois à l'exception de ses deux extrémités. Une agglomération suburbaine existe par ailleurs au pied de la montagne de Flavigny (découvertes R. Goguey). Couvrant 70 à 80 ha dont 30 à 40 d'une façon dense, l'agglomération du plateau ordonne ses quartiers de part et d'autre d'un axe topographique est-ouest doublé au nord et au sud par huit axes parallèles. Les transversales sont discontinues sauf à l'est.

Le schéma urbain adapté au terrain est radicalement différent du quadrillage des villes romaines. Néanmoins une partie de la ville a fait l'objet d'un aménagement régulier (quadrillage local des rues au sud-est du centre public).

« Fonds de cabanes » et habitats de surface gaulois

Au Ier s. av. J.-C., la première occupation de type indigène en matériaux périssables ou en pierre sèche est établie soit en surface, soit dans le calcaire excavé du plateau.

L'habitat couvert exigu est complété par des cours domestiques et artisanales à ciel ouvert.

Au Ier s. ap. J.-C., la surface de la petite maison gallo-romaine avec ou sans cour domestique propre, toujours exiguë, est complétée par une véritable pièce en sous-sol dans la filiation indigène.

Aux IIe et IIIe s., l'habitat, toujours avec ses deux variantes, conserve le même plan étranger au plan centré d'origine méditerranéenne, mais il s'agrandit nettement par l'adjonction de nouvelles pièces de surface.

Dans quelques cas, la maison ne dispose pas de sous-sol ; cela semble devenir la règle à l'époque constantinienne.

La croissance de la surface des maisons se fait au IIIe s. au détriment des cours artisanales ou commerciales ou par regroupement de deux petites maisons mitoyennes, parallèlement à la concentration entre les mêmes mains des ateliers et locaux commerciaux de certaines zones.

La maison d'un marchand prospère, qui tient un « bazar » sur la rue principale dès l'époque claudienne, est d'un type radicalement différent ; son plan centré sur une cour privée, d'influence méridionale et son importance spatiale, en font – avec

quelques maisons de notables du centre public et de la périphérie de la ville – une exception dans l'habitat d'Alésia.

Le sous-sol, élément caractéristique de l'habitat gallo-romain de l'Est

A l'exception de rares cas, la maison d'Alésia dispose d'un sous-sol sous sa pièce unique ou sous l'une de ses pièces. Une étude portant sur cent-vingt sous-sols, et spécialement sur une trentaine d'un quartier, aboutit aux mêmes conclusions que celles d'une étude générale sur les « sous-sols caves » des Trois Gaules : cet élément est systématique ou très fréquent dans le quart nord-est, rare ailleurs. Il est une des caractéristiques principales d'un modèle d'habitat régional répandu sur cette vaste aire. [...]

Le sous-sol a évidemment une fonction utilitaire : il n'a pas que ce rôle à la différence des celliers situés sous certaines boutiques : il semble avoir souvent, sinon toujours, une fonction de sanctuaire domestique ; il paraît être encore plus que cela dans la maison traditionnelle de certaines agglomérations comme Vertault, le Châtelet ou Alésia. Enduits peints et enfilades de sous-sols à Vertault, décors soignés à Alésia et ailleurs, exiguïté de l'habitat de surface, débouché très fréquent sur le lieu de travail, font du sous-sol, au même titre que les pièces de surface, un lieu de séjour diurne ou nocturne dans la filiation directe de l'habitat enterré de l'époque indigène.

Une architecture domestique en pierre

L'architecture domestique d'Alésia est une architecture pour l'essentiel horizontale ; rares sont les cas où un galetas ou un étage peut être soupçonné (un seul cas est prouvé. [...] Néanmoins rien techniquement n'interdit de supposer un étage en colombage sur le rez-de-chaussée en petit appareil régulier haut d'environ 2,50 m... sauf l'absence de tout indice archéologique.

Le matériau utilisé à partir du Ier s. ap. J.-C. est la pierre. La brique n'est employée que pour les rares systèmes de chauffage par hypocauste ; la tuile ou la pierre sciée, courantes, ne supplantent pas – et de beaucoup – la couverture légère (en chaume ?). [...]

Le bois joue un rôle complémentaire très important à toutes les époques ; il est imbriqué étroitement à la pierre ; sa présence rappelle, comme celle du sous-sol, l'origine celtique de l'agglomération et témoigne de la permanence des traditions indigènes.

Enfin, si marbre et mosaïque sont rares (ils existent néanmoins ici ou là), les vestiges d'enduit peint et de stuc, malgré la mauvaise conservation dans un sol très acide, sont assez nombreux pour affirmer que toutes les maisons et les boutiques du quartier au sud du forum, y compris celles des petits artisans et commerçants, disposaient d'au moins une pièce décorée de cet élément, plafonds compris parfois. Il est vrai que l'enduit peint était aussi banal alors dans l'habitat urbain et rural que le papier peint aujourd'hui ; sa présence systématique dans un milieu modeste et dans une agglomération secondaire est néanmoins un bon témoignage de l'apport des habitudes romaines plaquées sur une architecture encore largement indigène par son plan sinon par la nature et la mise en forme des matériaux de construction.

Les structures de l'habitat d'une agglomération comme Alésia constituent, comme celles des autres villes secondaires du Centre-Est dont la connaissance est souvent déficiente (à l'exception de Mâlain), un domaine de recherche négligé jusqu'à une date récente. L'étude de la maison dans son environnement immédiat est pourtant essentielle pour enrichir le dossier du mode de vie de ce type de population « gallo-romaine ». Elle permet à travers les plans, les aménagements et les liaisons, de saisir les permanences gauloises et les apports romains, avec leurs caractères régionaux, mieux peut-être que ne peut le faire le mobilier qui, dans l'Occident romain, s'uniformise largement dès la fin du Iᵉʳ s. ap. J.-C. Le milieu populaire d'Alésia apparaît, à travers son cadre de vie quotidien, comme encore très indigène jusqu'aux IIIᵉ et IVᵉ s. ; mais il a assimilé très tôt – dès la fin du règne d'Auguste – des techniques et des habitudes romaines. A cet égard, le chef-lieu du pagus des Mandubiens est un exemple représentatif de l'ensemble des agglomérations d'origine et de peuplement indigènes des Trois Gaules sous l'Empire.

Michel Mangin
« Alésia, une ville gallo-romaine
à travers son habitat »,
in Archeologia, avril 1983

P ied de table en pierre.

Deux découvertes archéologiques étonnantes

Notre connaissance de l'époque romaine en Gaule est alimentée par les sources écrites, la numismatique, l'épigraphie, mais surtout par l'archéologie, dont les techniques se sont diversifiées et affinées depuis plusieurs dizaines d'années. Les archéologues procèdent au dégagement et à l'étude de sites plus ou moins étendus, ou analysent de façon approfondie des ensembles plus restreints, dont certains sont parfois très spectaculaires...

Les ex-voto de Chamalières

En 1968, la découverte à Chamalières de milliers d'ex-voto en bois enrichissait notablement le corpus de la sculpture sur bois gallo-romaine.

C'est à l'automne 1968, lors de la construction d'immeubles près de l'emplacement d'une source, dite Source des Roches, que fut découverte à Chamalières, à la limite ouest de Clermont-Ferrand (l'antique *Augustonemetum*) et non loin des thermes de Royat, la plus importante collection de sculptures en bois gallo-romaines qui ait été conservée à ce jour. D'autres sites, sanctuaires de source ou établissements thermaux de la Gaule romaine, et notamment les Sources de la Seine, avaient déjà révélé des ex-voto comparables ; mais le nombre des pièces recueillies à Chamalières (1 500 sculptures répertoriées et 8 500 fragments, parfois fort petits, ce qui rend difficile une évaluation précise du nombre des ex-voto, 2 000, 3 000, ou plus), la variété des représentations, leur qualité artistique, donnent à cet ensemble un intérêt particulier.

On savait déjà, depuis le milieu du XIXᵉ siècle, que la Source des Roches était connue et fréquentée à l'époque gallo-romaine. Dès 1843, en effet, lorsque l'eau minérale de la source fut captée pour être exploitée, la présence de vestiges archéologiques : monnaies, céramique, et bois sculptés, avait été signalée ; mais aucun des morceaux de bois trouvés à cette occasion n'avait été conservé, et leur antiquité avait même été mise en doute. Un curage de la source, en 1958, avait bien confirmé l'occupation ancienne du site, mais n'avait livré qu'un lot de monnaies du Iᵉʳ siècle et des fragments de vases. Il fallut attendre la destruction des

Une fidèle, drapée dans son manteau, levant la main dans un geste d'offrande. La statuette haute de 41 cm, est en chêne, essence peu employée en sculpture.

bâtiments d'exploitation de la source, en septembre 1968, et la construction, dans l'angle de l'avenue Jean-Jaurès et de la rue de Clora, de nouveaux immeubles d'habitation, pour retrouver, au fond d'une tranchée de drainage, des fragments de bois sculpté ; un premier décapage permit de discerner, sous la couche de tourbe noire et boueuse qui les protégeait, parmi une masse de fragments enchevêtrés, quelques bustes et têtes, des bras, des quantités de jambes, ex-voto déposés par les pèlerins auprès de la source pour demander à la divinité la guérison de la partie du corps représentée ou la remercier après la guérison. La fouille de sauvetage fut réalisée par la Direction des Antiquités Historiques d'Auvergne en deux étapes, à l'automne 1968 et pendant l'hiver 1970-1971, dans des conditions rendues difficiles par le froid, l'eau et la fragilité des bois ; mais il fut possible de recueillir la totalité des ex-voto enfouis dans le sol, de noter, grâce à la mise en œuvre d'une méthode rigoureuse, la position de chacun d'entre eux et de reconstituer la physionomie générale du gisement.

La source, qui jaillissait du sous-sol par deux petits bassins naturels, avait creusé une cuvette d'une vingtaine de mètres de diamètre. C'est là que les ex-voto s'étaient entassés en désordre, formant, à 1,20 m au-dessous de la surface du sol moderne, une couche homogène parfois épaisse de plus de 50 cm qui épousait la forme du terrain. Les limites du gisement avaient été bouleversées, au sud et à l'ouest, par des aménagements modernes ; elles ont été retrouvées au nord et à l'est et correspondent aux bords de la cuvette qui montaient en pente douce. Les abords en avaient été consolidés par un cailloutis irrégulier qui permettait aux pèlerins d'approcher sans risque de s'embourber. C'est le seul aménagement retrouvé auprès de la source : aucun vestige de bâtiment antique n'a été décelé, aucune trace d'installation même sommaire, simple margelle ou canalisation. Ce sanctuaire, sans doute dédié à une divinité des eaux, apparaît donc comme un sanctuaire de pleine nature. Cela reste une chose exceptionnelle en Gaule, où les autres dépôts d'ex-voto sont généralement situés à proximité d'édifices cultuels ou d'installations thermales.

Il est clair qu'il ne s'agissait pas, comme aux Sources de la Seine, d'une *favissa*, d'un dépôt d'objets sacrés devenus inutiles et volontairement enfouis. La concentration des bois près des points d'émergence de la source, ainsi que la place des autres objets recueillis, vases, monnaies, noix et noisettes, jetés au fond ou autour du bassin principal, indiquent nettement que tous ces ex-voto ont été trouvés à l'endroit même où les fidèles en avaient fait l'offrande. On ne peut cependant imaginer que les bois sculptés aient été eux aussi jetés directement dans l'eau : la forme de certaines stèles, l'extrémité taillée en pointe de l'une des statues, prouvent que ces ex-voto devaient être primitivement disposés en position verticale autour des bassins, fichés dans le sol ou posés sur leur socle. Ce sont les variations du niveau de l'eau, après l'abandon du sanctuaire, qui expliquent la disposition et le désordre dans lesquels nous les avons trouvés : entraînés par l'eau, de formes et de volumes divers, ils ont flotté plus ou moins longtemps à la surface avant de couler et de se déposer sur le fond.

Si l'on connaît mal les raisons de cet abandon − changement dans les pratiques religieuses, concurrence de la médecine thermale ? − comme celles du développement de ce sanctuaire, du moins la céramique et les monnaies permettent-elles de dater avec une assez grande précision sa courte période de vie, qui ne s'étend guère au-delà de la première moitié du Ier siècle. [...]

Les ex-voto − pour la plupart en hêtre, mais aussi en chêne, sapin, frêne, bouleau ou châtaignier − appartiennent à des catégories très variées. Les sculptures les plus belles, les plus intéressantes pour l'étude de l'art indigène de cette époque, sont les images des fidèles eux-mêmes, figurés en pied ou en buste. Divers styles se manifestent sur ces statuettes de pèlerins. La majorité d'entres elles sont de petites stèles au visage peu détaillé, avec une coiffure stylisée en godrons, courte pour les hommes, longue pour les femmes ; les hommes sont vêtus de la pèlerine, plus rarement d'un manteau et d'une tunique courte, les femmes d'une tunique longue recouverte d'un manteau drapé ou agrafé. Les personnages sont représentés debout, de face, dans une attitude un peu rigide, les pieds posés sur un petit socle ; certains d'entre eux tiennent des offrandes, fruits ronds, épis allongés, dans un cas un oiseau. D'autres statuettes, sculptées en ronde-bosse, sont plus individualisées, comme celle d'un homme aux bras repliés sous la pèlerine. Parfois, ce ne sont que de grossières ébauches taillées au couteau, où le corps a gardé la forme primitive de la branche.

Parmi les bustes et les têtes, la série la plus abondante est formée de têtes sculptées en bas-relief, aux visages ronds ou ovales encadrés d'une coiffure en godrons, au profil presque classique ; une autre série regroupe des esquisses frustes, où les traits du visage sont rendus par de simples incisions ; enfin

Le seul cavalier du site, en bois de hêtre.

les exemplaires en ronde-bosse, peu nombreux, tantôt présentent une stylisation qui étire volontairement les lignes, tantôt évoquent de véritables portraits. Malgré la diversité des styles, toutes ces représentations relèvent d'une technique extrêmement sûre ; ces ex-voto sont l'œuvre d'artistes expérimentés, et cet art du bois sculpté prépare le développement de la sculpture sur pierre de la seconde moitié du Ier siècle.

Parmi les ex-voto dits de guérison, reproduisant une partie du corps, les jambes (plusieurs centaines)

La « planche anatomique » représente sommairement les organes internes.

constituent la catégorie la plus abondante ; elles sont en général représentées depuis la cuisse jusqu'à l'extrémité du pied, parfois soigneusement sculptées, parfois sommairement ébauchées et tout juste identifiables. Les bras, très nombreux aussi, dont certains portent une offrande ronde tenue entre le pouce et l'index, sont de qualité plus uniforme.

Une des catégories les plus remarquables, qui n'existe pas sous cette forme sur les autres sites gallo-romains, est celle des moitiés inférieures de corps, vêtues ou non vêtues : le bassin est représenté à partir de la ceinture et les jambes reposent sur un socle. Les planches anatomiques, déjà bien connues par les découvertes des Sources de la Seine, présentent des organes internes très stylisés : trachée, poumons, cœur, estomac, reins, intestins. Des yeux en bronze constituent l'unique ex-voto en métal. Les pèlerins venaient sans aucun doute implorer la guérison de la partie du corps ainsi représentée ; mais il faut remarquer l'absence presque complète, à la Source des Roches, de signes d'une déformation pathologique. [...]

Un cartouche en plomb, inscrit, a été découvert parmi les ex-voto ; le texte, d'interprétation difficile, qui invoque une divinité ou des divinités, est l'un des plus longs textes connus en langue gauloise : peut-être pouvons-nous y lire le nom d'un (Apollon) Maponos Arverne.

Le problème de la conservation de ces ex-voto s'est posé dès le moment de la découverte. Certes les ex-voto nous sont parvenus en assez bon état, protégés par une sorte de tourbe provenant de l'ancienne végétation aquatique décomposée et par les exhalaisons de gaz carbonique de la source, isolés par une couche argileuse des niveaux modernes. Mais le bois gorgé d'eau est un matériau très particulier : la proportion de cellulose y est très faible, et l'eau, qui représente la plus grande partie du poids du bois, provoque en s'évaporant, dès que les pièces sont sorties du milieu humide, des fissures et des torsions qui aboutissent très vite à une destruction totale.

Au fur et à mesure de leur mise au jour, les bois ont donc été enfermés hermétiquement dans des sacs en plastique contenant de l'eau additionnée d'un produit anticryptogamique, pour assurer leur conservation provisoire avant le traitement définitif. Ce traitement a été effectué dans les locaux de la Direction des Antiquités Historiques d'Auvergne à Clermont-Ferrand. Il a consisté d'abord à nettoyer et déminéraliser les bois, très fortement chargés de sels minéraux, puis à remplacer l'eau contenue dans les bois par une résine polymérisable, qui se solidifie et reste stable. La méthode utilisée – imprégnation d'Arigal C – a été retenue pour les avantages qu'elle présentait dans ce cas particulier : les pièces une fois traitées sont légères, leurs dimensions sont maintenues, elles retrouvent l'aspect clair du bois, le collage des fragments est facile. En dernier lieu, après leur traitement, les ex-voto ont subi au Centre d'Etudes Nucléaires de Grenoble une irradiation par rayonnement gamma, afin d'assurer l'élimination d'éventuels micro-organismes susceptibles de causer une détérioration des pièces.

Ce traitement est délicat et long. Les pièces présentées aujourd'hui ne sont qu'une partie de cette immense collection. De nouvelles pièces viendront prochainement enrichir cette exposition, qui permettra dès maintenant d'apprécier la variété et la qualité exceptionnelle de la sculpture sur bois dans l'Auvergne gallo-romaine du tout début de notre ère.

Jean-Claude Poursat, catalogue de l'exposition « Ex-voto gallo-romains de la Source des Roches à Chamalières », musée Bargoin, Clermont-Ferrand, 1980

Le trésor de Rethel

Essentiellement composé de pièces d'argenterie, il évoque fastueusement l'un des artisanats encore mal connu de la Gaule romaine : l'orfèvrerie.

Plusieurs trouvailles importantes ont, au cours des dernières décennies, enrichi de façon considérable notre connaissance de la vaisselle d'argent dans l'Occident romain, notamment pour l'Antiquité tardive. Le trésor de Kaiseraugst, près de Bâle en Suisse, ceux de Mildenhall, de Water Newton et de Thetford en Grande-Bretagne tout particulièrement ont ainsi permis de préciser les caractéristiques de l'art des orfèvres du IVe siècle, le répertoire des formes, les techniques ornementales, la nature des décors. Ils ont apporté également de précieux éclaircissements sur l'usage de cette argenterie, sur ses possesseurs, leurs goûts artistiques ou leurs croyances.

Sur le territoire de la Gaule aussi les découvertes ont été nombreuses. Mais si quelques-unes concernent encore l'Antiquité tardive, ou bien l'époque de

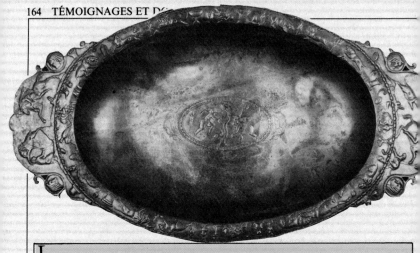

Le plus grand plat ovale retrouvé : 51,2 cm de longueur.

la République romaine, elles sont beaucoup plus rares. La plupart en effet sont à mettre en rapport avec les événements violents qui affectent la Gaule dans la seconde moitié du IIIᵉ siècle : leur contenu illustre, pour l'essentiel, les productions de l'orfèvrerie du IIIᵉ siècle. C'est le cas du trésor de Graincourt-les-Havricourt, et, peut-être, de celui mis au jour récemment à Vienne. Or, si l'on y ajoute les ensembles plus anciennement connus et que l'on considère donc la totalité du matériel, on doit constater qu'il s'agit là de la période la plus abondamment représentée. La situation troublée a suscité de nombreuses cachettes favorisant la préservation des objets.

C'est dans ce contexte que s'inscrit le trésor de Rethel : il est un exemplaire supplémentaire dans une série de plus en plus fournie, qu'il vient enrichir, et qu'il permet donc de mieux définir, mais dont il partage aussi les problèmes. [...]

Le trésor de Rethel, comme la plupart de ces dépôts, paraît bien avoir été conçu comme un moyen de mettre à l'abri un capital, que l'on envisage de récupérer plus tard : il accueille donc aussi très normalement des bijoux, cachés beaucoup plus pour leur valeur métallique que pour leurs qualités esthétiques, puisqu'ils ont été volontairement rendus impropres à l'usage, en les pliant. La présence des miroirs s'explique probablement de la même façon : on a rassemblé les biens les plus précieux de la famille : les trésors de Vienne et de Chaourse en contiennent un exemplaire, et, plus tôt, les trouvailles faites à Pompéi et en Campanie, petites ou grandes, en ont livré en même temps que la vaisselle de table. [...]

La cachette de Rethel, c'est l'une des conclusions auxquelles conduit l'examen de chacune de ses pièces, paraît particulièrement homogène ; elle s'intègre aussi sans équivoque dans le groupe des trésors que l'on considère comme enfouis dans la seconde moitié du IIIᵉ siècle, dans les années 260-270, pour la plupart d'entre eux. Le nom de *Silvester*, inscrit sur plusieurs objets, et qui n'apparaît pas dans l'onomastique avant les dernières décennies du IIIe siècle, confirme cet enfouissement tardif. Rares sont ceux que la présence de monnaies permet de dater de façon précise : nous les avons examinés ailleurs ; rappelons seulement ici que certains objets toutefois – les cuillers notamment – jouent le rôle de fossiles directeurs : il est possible d'établir en particulier que la vogue du nielle apparaît au plus tôt dans les premières décennies du IIIe siècle, et que, sous la forme que nous avons analysée plus haut, elle ne doit pas dépasser la fin du IIIe siècle, peut-être même les années 270-280, qui marquent, à notre sens, une évolution profonde de la vaisselle d'argent. De ce point de vue, le trésor de Rethel est d'une particulière richesse : il n'y en a pas d'autres qui offrent des décors niellés en si grand nombre et avec la qualité des deux grandes rosaces. Le trésor est sans aucun doute un excellent représentant des productions des ateliers du nord-est de la Gaule ; il n'y a là rien de très étonnant si l'on pense qu'il provient de la zone

dans laquelle a été retrouvée la plus forte densité d'argenterie :
les ensembles de Reims, de Chaourse, de Graincourt l'attestent. [...]

On pourra s'interroger sur ce qu'il représentait exactement au moment de son enfouissement. La présence d'Epona sur une des coquilles, qui pourrait lui conférer une valeur votive, la possibilité d'un caractère analogue pour le petit bateau d'argent posent en effet la question de l'appartenance à un sanctuaire : c'est comme le trésor d'un temple qu'est considéré par exemple le dépôt de Weissenburg, qui présente lui aussi une coquille ornée d'une image d'Epona ; mais à Weissenburg, des inscriptions sur plusieurs objets ont un caractère explicite. A Rethel, en revanche, rien n'indique expressément des liens avec un temple. Le trésor nous paraît bien être un dépôt de vaisselle de table, pour l'essentiel, qui représente, en partie ou dans sa totalité, l'argenterie d'une personne privée.

F. Baratte et F. Beck
*Orfèvrerie gallo-romaine, –
le Trésor de Rethel,*
coll. Millénaires, Picard, 1988

M odèle réduit de bateau.

REPÈRES CHRONOLOGIQUES

Av. J.-C. En Gaule	A l'extérieur
51 - La Gaule chevelue entre dans l'Empire romain	44 - Mort de Jules César
43 - Fondation de Lyon	27-14 - Principat d'Auguste
15-13 - Organisation des trois nouvelles provinces : Lyonnaise, Gaule Belgique, Aquitaine	
12 - Fondation de l'autel de Rome et d'Auguste à Lyon	
Ap. J.-C.	14-69 - Règne des Julio-claudiens
21 - Révolte de Julius Florus chez les Trévires, de Julius Sacrovir chez les Eduens	C.21 - Mort de Strabon
48 - Discours de Claude en faveur des notables gaulois : « Tables claudiennes »	43 - Début de la conquête de la Bretagne insulaire
58 - Incendie de Lyon	64 - Incendie de Rome
68-70 - Révolte de Vindex et Sabinus : soulèvements	69-96 - Règne des Flaviens
77 - Affichage du cadastre A d'Orange	79 - Mort de Pline le Jeune
	96-192 Règne des Antonins
Siècle des Antonins : la paix règne en Gaule ; nombreuses nouvelles constructions ; essor économique ; à Rome, 40 % des sénateurs sont des provinciaux	
177 - Persécutions contre les chrétiens à Lyon (Blandine) ; jusqu'en 313 périodes successives de tolérance et de persécutions	
196 - Sac de Lyon : lutte d'Albinus et de Septime Sévère pour l'empire	212 - Edit de Caracalla : la citoyenneté romaine est accordée à tous les hommes libres
260-275 - « Empire gaulois »	235 - Premières vagues d'invasions germaniques
276-282 - Constructions d'enceintes	236 - Anarchie militaire
	247 - Millénaire de Rome
307 - Trèves capitale des Gaules Installation de groupes germaniques dans le nord du pays	v.300 - Réformes de Dioclétien
	313 - Constantin Ier : Edit de tolérance du Christianisme
	330 - Dédicace de Constantinople
370-390 - Saint-Martin évangélise les campagnes	352 - Début de la seconde vague des invasions germaniques
375 - Arrivée des Francs en Belgique	375 - Arrivée des Huns en Europe, début des Grandes Migrations
395-396 - Arles capitale des Gaules	395 - Mort de Théodose, partage de l'Empire romain
476 - Fin de l'Empire romain d'Occident	

GLOSSAIRE

Adobe : briques de terre crue.

Affranchi : esclave libéré par son maître.

Ager publicus : domaine de l'Etat.

Agrimensor : arpenteur.

Apodyterium : vestiaire des thermes.

Aryballe : vase globulaire contenant l'huile parfumée dont s'enduisaient les athlètes en passant l'embouchure plate sur leur corps.

Ascia : herminette ; outil de maçon, de charpentier, de paysan, fréquemment représenté sur les stèles funéraires.

Calame : plume taillée dans un roseau pour écrire à l'encre.

Caldarium : salle chaude des bains.

Cardo : ligne de partage pour la limitation des champs ; en ville axe principal N/S.

Cavea : partie du théâtre où sont assis les spectateurs.

Cella : salle du temple où est placée la statue de culte de la divinité.

Civitas : cité ; territoire comprenant la ville et la campagne habitées par un même peuple.

Classis Britannica : flotte de Bretagne ; organisée par Claude (41-54 ap. J.-C.) pour conquérir la Bretagne insulaire.

Cochlear : cuiller à cuilleron rond et bout pointu.

Conciliabulum : lieu de réunion rural, souvent pourvu d'un sanctuaire, de thermes, d'un théâtre.

Cornu : grande trompette recourbée.

Cucullus : pèlerine courte à capuchon et par extension, capuchon dont sont souvent dotés les manteaux.

Cursus publicus : service public destiné au transport des personnes et des objets appartenant à l'Etat.

Decumanus : ligne de partage pour la limitation des champs, en ville principal axe E/O.

Décurions : magistrats formant le sénat local des cités, recrutés par cooptation ; les magistrats chargés de l'exécutif sont choisis parmi eux.

Duumviri : collège de deux magistrats municipaux supérieurs, élus pour un an par les décurions.

Editor : patron des jeux de l'amphithéâtre ; il les finance et les organise.

Fanum : en Gaule, temple de type indigène.

Flamine : prêtre attaché au service d'une divinité, ou plus souvent en Gaule, aux cultes officiel et impérial.

Forum : place publique.

Frigidarium : salle froide avec piscine des thermes.

Frons scaenae : mur de fond de scène du théâtre.

Fundus : domaine agricole

Garum : sauce composée de poissons marinés dans la saumure.

Lanista : propriétaire d'une troupe de gladiateurs, qu'il entraîne et qu'il loue.

Lares : esprits tutélaires protecteurs de la maisonnée.

Legatus : légat ; représentant de l'empereur ou du Sénat.

Ligula : cuiller à cuilleron ovale.

Mânes : esprits divinisés des morts.

Medicus : médecin.

Myrmillon : gladiateur équipé d'une épée, d'un bouclier et d'un casque.

Oppidum : agglomération gauloise fortifiée, installée sur une hauteur ou dans un lieu naturellement défendu : île, boucle de rivière...

Opus caementicium : mur maçonné, constitué d'un massif de remplissage mêlant le mortier aux moellons ou aux morceaux de tuiles, de briques, contenu entre deux parements.

Orchestra : partie en demi-cercle située au pied de la scène du théâtre.

Ornatrix : servante chargée de la toilette et particulièrement de la coiffure.

Pagus : subdivision de la cité ; à l'origine territoire d'une tribu.

Parentalia : fête des morts, célébrée du 14 au 21 février.

Pars urbana : partie résidentielle du domaine agricole.

Pars rustica : partie d'exploitation du domaine agricole.

Patère de bain : récipient de bronze avec lequel on s'aspergeait d'eau.

Rétiaire : gladiateur muni d'un filet, d'un trident, d'un poignard et d'un brassard.

Sagum : saie ; cape courte. Mat gaulois.

Secutor : gladiateur armé d'une épée, d'un bouclier, d'une jambière et d'un casque.

Strigile : lame recourbée en métal utilisée pour racler la peau, afin de la débarrasser de la poussière, de la sueur.

Tepidarium : étuve tiède des thermes.

Thrace : gladiateur armé d'une épée recourbée, d'un petit bouclier, de jambières et d'un casque.

Tria nomina : prénom, nom ou gentilice et surnom qui forment le nom du citoyen romain.

Triclinium : salle à manger dotée de trois lits de banquet.

Velum : toile tendue au-dessus du théâtre ou de l'amphithéâtre pour protéger les spectateurs du soleil.

Vicus : agglomération secondaire à vocation artisanale, commerciale...

Villa : maison d'habitation du propriétaire de domaine agricole.

Villicus : contremaître sur un domaine agricole.

BIBLIOGRAPHIE

Bedon R., Chevallier R., Pinon P., *Architecture et urbanisme en Gaule romaine*, Paris, 1988.

Coulon G., *Les Gallo-romains. Au carrefour de deux civilisations*, Paris, 1985.

Duval P.M., *La vie quotidienne en Gaule pendant la paix romaine*, Paris, 1952.

Duval P.M., *La Gaule jusqu'au milieu du Ve siècle. Les sources de l'histoire de France*, Paris, 1971.

Duval P.M., *Les dieux de la Gaule*, Paris, 1976.

Espérandieu E., *Recueil des bas-reliefs, statues et bustes de la Gaule romaine*, 15 vol., Paris, 1907-1938.

Ferdière A., *Les campagnes en Gaule romaine*, Paris, 1988.

Goudineau C., *Les villes de la paix romaine*, dans *Histoire de la France urbaine*, Dir. G. Duby, T.I., Paris, 1980.

Grenier A., *Manuel d'archéologie gallo-romaine*, 7 vol., Paris, 1931-1960.

Hatt J.J., *Histoire de la Gaule romaine*, Paris, 1966.

Hatt J.J., *La tombe gallo-romaine*, Paris, 1986 (2e éd.).

Hatt J.J., *Mythes et dieux de la Gaule*, t.1, Paris, 1989.

Le Glay M., *La Gaule romanisée*, dans *Histoire de la France rurale*, Dir. G. Duby-A. Wallon, t.1, Paris, 1975.

Lerat L., *La Gaule romaine. 249 textes traduits du grec et du latin*, Paris, 1986 (2e éd.).

Nerzic G., *La sculpture en Gaule romaine*, Paris, 1989.

Thévenot E., *Divinités et sanctuaires de la Gaule*, Paris, 1968.

Thévenot E., *Les Gallo-romains*, Paris, 1978 (5e éd.).

MUSEOGRAPHIE

Quelques musées français possédant d'importantes collections d'archéologie gallo-romaine

Musée d'Alésia
Alise-Sainte-Reine (Côte-d'Or)

Musée de Picardie
Amiens (Somme)

Musée Rolin
Autun (Saône-et-Loire)

Musée archéologique
Bavay (Nord)

Musée des Beaux-Arts et d'Archéologie
Besançon (Doubs)

Musée du Berry
Bourges (Cher)

Musée Denon
Chalon-sur-Saône (Saône-et-Loire)

Musée Bargoin
Clermont-Ferrand (Puy-de- Dôme).

Musée archéologique
Dijon (Côte-d'Or)

Musée départemental des Vosges
Epinal (Vosges)

Musée de l'ancien évêché
Evreux (Eure)

Musée archéologique
Fréjus (Var)

Musée archéologique du Vexin français
Guiry-en-Vexin (Val d'Oise)

Musée archéologique
Lattes (Hérault)

Musée de la Civilisation gallo-romaine
Lyon (Rhône)

Musée d'Art et d'Histoire
Metz (Moselle)

Musée lorrain
Nancy (Meurthe-et-Moselle)

Musée de Préhistoire et d'Archéologie
Narbonne (Aude)

Musée historique et archéologique de
l'Orléanais
Orléan (Loiret)

Musée Sainte-Croix
Poitiers (Vienne)

Musée Saint-Rémi
Reims (Marne)

Musée Joseph Déchelette
Roanne (Loire)

Musée départemental des Antiquités de la
Seine Maritime
Rouen (Seine-Maritime)

Musée des Antiquités nationales
Saint-Germain-en-Laye (Yvelines)

Musée municipal
Sens (Yonne)

Musée Saint-Raymond
Toulouse (Haute-Garonne)

Musée lapidaire
Vaison-la-Romaine (Vaucluse)

Musée des Beaux-Arts et d'Archéologie
Vienne (Isère)

Musées programmés et en cours de travaux

Arles

Musée Calvet
Avignon (Vaucluse)

Musée départemental de l'Oise
Beauvais (Oise)

Musée d'Aquitaine
Bordeaux (Gironde)

Musée du Comminges
Saint-Bertrand-de-Comminges (Haute-
Garonne)

Musée archéologique
Saint-Romain-en-Gal (Rhône)

Musée archéologique
Strasbourg (Bas-Rhin)

TABLE DES ILLUSTRATIONS

d'Orsay, Paris.
71 Canif provenant de la forêt de Compiègne (Oise), os et fer. Musée des Antiquités nationales, Saint-Germain-en-Laye.
72hg Tarière à mèche en fer. *Idem.*
72 hd Stèle funéraire en pierre d'un « architecte », Gailus. Musée Rolin, Autun.
72b Outils de travail du bois. Musée des Antiquités nationales, Saint-Germain-en-Laye.
73 Bloc sculpté en pierre provenant de Bordeaux (Gironde) : les dendrophores. Musée d'Aquitaine, Bordeaux.
73b Outils de travail de la pierre. Musée des Antiquités nationales, Saint-Germain-en-Laye.
74h Linteau en pierre : les outils d'un tailleur de pierre. Musée lapidaire d'art païen, Arles.
74b Détail d'un mur : arases en briques, Thésée (Loir-et-Cher).
75h Bloc sculpté en pierre provenant de Sens (Yonne) : stucateurs. Musée de Sens.
75b Génie tenant une corne d'abondance, peinture murale, maison à portique du clos de la Lombarde. Narbonne (Aude).
76g Valve antérieure d'un moule de déesse mère, et tirage, terre cuite. Musée des Antiquités nationales, Saint-Germain-en-Laye.
76 Dépotoir de céramique sigillée, à La Graufesenque (Aveyron).
77h Vase en céramique sigillée et

son moule. Musée des Antiquités nationales, St-Germain-en-Laye.
77b Reconstitution de four de potier, maquette. *Idem.*
78h Pinces de forgeron en fer. *Idem.*
78b Buste de femme en bronze, provenant d'Alésia (Côte-d'Or). Musée d'Alésia.
79 Verreries provenant d'une tombe de Saintes (Charente-Maritime), musée des Antiquités nationales, St-Germain-en-Laye.

CHAPITRE V

80 Amphores trouvées dans une épave de l'île du Levant par le Cdt Taillez.
81 Statuette en argent, Mercure provenant des environs de Blois. Musée des Antiquités nationales, Saint-Germain-en-Laye.
82h Ex-voto à Epona en tôle de bronze provenant d'Alésia. *Idem.*
82b Coupe d'une voie romaine et borne milliaire, dessin F. Place, d'après un dessin du Saalburg Museum. Bad Homburg, R.F.A.
83h Stèle funéraire en grès d'un soldat, provenant de Strasbourg (Rhin). Musée archéologique, Strasbourg.
83b Figurine en terre cuite de *cucullatus*, provenant de Vesoul (Haute-Saône). Musée des Antiquités nationales, Saint-Germain-en-Laye.
84/85 Table de Peutinger, parchemin. Österreichische Nationalbibliotek, Vienne, Autriche.

85b Détail d'un monument funéraire provenant de Trèves. Landesmuseum, Trier, R.F.A.
86/87 Carte de redressement de la Table de Peutinger par E. Desjardins, 1869.
87 Borne milliaire provenant de la voie romaine Dijon-Bordeaux. Musée Crozatier, Le Puy-en-Velay.
88 Epona en bronze provenant de Champoulet (Loiret). Musée des Antiquités nationales, Saint-Germain-en-Laye.
89h Pont sur l'Ouvèze à Vaison-la-Romaine.
88/89 Reconstitution d'une voiture de voyageurs. Römisch-Germanisches Museum, Cologne, R.F.A.
90/91h Scène de halage, relief en calcaire, de Cabrières-d'Aygues (Vaucluse). Musée Calvet, Avignon.
91b Barque en bronze, provenant de Blessey (Côte-d'Or). Musée archéologique, Dijon.
92 Le phare de Boulogne, gravure. Ville de Boulogne-sur-Mer.
92/93 Mosaïque de la place des Corporations, Ostie (Italie), détail : le comptoir narbonnais.
94h Navire de commerce en cours de chargement, stèle. Musée de Narbonne.
94/95 Détail d'un mausolée de Saintes (Charente-Maritime). Scène de compte. Musée archéologique, Saintes.
95 Canthare d'argent trouvé à Alésia. Musée des Antiquités nationales,

Saint-Germain-en-Laye.
96h Stèle funéraire de marchands provenant de Soulosse (Vosges). Musée d'Art et d'Histoire, Metz.
96b Bas-relief en pierre provenant de Langres (Haute-Marne) : charriot de vendange. Musée Saint-Didier, Langres.
97h Balance en bronze provenant des environs de Lyon. Musée des Antiquités nationales, Saint-Germain-en-Laye.
97m Détail de bloc en pierre sculptée provenant d'Arlon (Belgique) : scène de marché. Musée Luxembourgeois, Arlon (Belgique).
97b Bloc en pierre sculptée provenant de Narbonne (Aude) : remplissage des amphores. Musée lapidaire, Narbonne.
97h Revers d'une pièce en or, émise en 47 apr. J.-C. par l'atelier de Lyon. Bibl. nat., Paris.
97m L'empereur Claude, droit d'une pièce en or, émise en 47 apr. J.-C. par l'atelier de Lyon, *Idem.*
97b L'empereur Auguste, droit d'une monnaie en or, frappée à Rome en 19 av. J.-C. *Idem.*

CHAPITRE VI

98 Stèle funéraire d'Apinosus Iclius, calcaire, provenant d'Entrains (Nièvre). Musée des Antiquités nationales, Saint-Germain-en-Laye.
99 Laraire provenant d'Augst (Suisse). Römermuseum, Augst, Suisse.
100 Sarcophage provenant de

TÉMOIGNAGES ET DOCUMENTS

égyptiennes, étrusques, grecques et romaines, frontispice du tome I, Paris, 1761.

131d Statuette en bronze de satyre, provenant de Jouey (Côte-d'Or). Musée des Antiquités nationales, Saint-Germain-en-Laye.

131g Le satyre de Jouey, in *Recueil de monuments antiques, la plupart inédits, et découverts dans l'ancienne Gaule*, Grivaud de la Vincelle, Paris, 1817.

132 Prétextat Oursel, *Antiquités romaines trouvées à Berthouville, près de Bernay*, frontispice, Paris, 1830.

134 Vue d'un arc de triomphe à Cavaillon. Gravure.

135 L'abbé Cochet, in *La Normandie souterraine*, l'abbé Cochet, Derrache et Didron. Paris, 1855.

136 César et le Gaulois. Partitions de chansons milieu XIXe s. Musique de Jules Couplet.

139 Le palais Tutelle. Gravure sur bois 1565.

140 Paroles extraites du livret de l'opéra *Norma* de V. Bellini.

141 Le Pont du Gard.

142 Astérix, extrait du *Combat des chefs*.

143 Aphrodite dite Vénus d'Arles provenant du théâtre d'Arles. Musée du Louvre.

144 Fouilles à Lyon.

145 Temple d'Auguste et Livie. Vienne (Isère).

146g Maison Carrée.

146d Richmond State Capitol. Richmond, Virginie, Etats-Unis.

149 Maquette de reconstitution en élévation du théâtre et

l'odéon de Lyon par A. Ducaroy.

150 Fouilles de Vaison-la-Romaine.

151 Mosaïque de la villa du Paon. Vaison-la-Romaine.

152 Buste en argent de patricien romain IIIe s. provenant du quartier de la Villasse. Vaison-Romaine.

153 La rue des boutiques. Fouilles de la Villasse. Vaison-la-Romaine.

154 Alésia et les travaux du siège d'après une gravure de Juste Lipse (XVIe siècle).

156 Champ de fouilles près d'Alise-Sainte-Reine.

157 Pied de table représentant sans doute Priape, dieu des jardins (IIIe s.), musée d'Alise Sainte-Reine.

158 Ensemble d'ex-voto en place à la source des Roches, Chamalières, fouilles Direction des Antiquités historiques d'Auvergne.

159 Pèlerin, ex-voto provenant de la source des Roches, à Chamalières, fouilles *idem* dépôt d'Etat. Musée de Clermont-Ferrand.

161 Cavalier, ex-voto, *idem.*

162 Planche anatomique, *idem.*

163h Vaisselle d'argent, trésor de Rethel (Ardennes), musée des Antiquités nationales, Saint-Germain-en-Laye.

163b Bracelets en or *idem.*

164 Plat en argent, trésor de Rethel (Ardennes) *idem.*

165 Bateau en argent, trésor de Rethel (Ardennes) *idem.*

INDEX

A–B

Ager publicus 54.
Agrimensor 54, 55.
Agrippa 25, 83, *84* ;
grande voie d' 35.
Aquitaine voir Gaule aquitaine.
Alise-Sainte-Reine (Alésia) 13, *13*, 30, 78, 95, **154-157**.
Allobrogique 68.
Amphithéâtres **46**.
Amphore **96**, *99*.
Antiquaires et archéologues **130- 135**.
Apodyterium 113.
Archeologia 134, 157.
Arles 34, 36, 40, *40*, 47, *47*, 54, 92, 109, *111*, 152.
Armée romaine **21**.
Artisans :
bronzier 77, 78, *78* ;
charron 79, 88 ;
chaudronnier 78 ;
fondeur 78 ; forgeron 77, 78 ; maçon 74, *75* ;
métiers du bois **72** ;
orfèvre 78 ; ouvriers de la pierre **72-73**, 74 ;
peintre 74, *75* ; plâtrier 74 ; potier *71* ;
sabotier 79 ; sculpteur 79 ; stucateur 74 ;
tabletier *71* ; tisserand 79 ; tonnelier 79 ;
verrier 79.
Aryballe 113.
Auguste 15, 17, *17*, *21*, *39*, *41*, *43*, 46, *47*, 82, 83, 88, 151.
Augustodunum voir Autun.
Ausone 29, 138, 139.
Autel du confluent voir Sanctuaire fédéral de Rome et d'Auguste.
Autun (Augustodunum) 34, 35, 36, *36*, 50, 88, 100, 109, 111, 115, 154.
Bibracte 34.
Biturique 68.
Bourges 36, 91, 99.
Boulogne (Gesoriacum) 92, *92*.
Brutus 139.
Burrus, Maurice 151 ;
Sextus afranius 151,152.

C

Cadastration **54-55**.
Caldarium 49, 113.
Caligula *92*.
Cardo 55.
Caton 61.
Caylus, comte Anne de 131, 132.
Cella 43, 120, 121.
Céramique 76, 77 ;
Sigillée 77, *77*, 90, 103.
César, Jules *13*, 17, *17*, 23, 24, 28, 72, 83, 92, *115*, 136, 139, 154.
Chasse *109*.
Chauques 24.
Civitas (civitates) 17, 18, 19, *19*, 33, *33*, 36, 41, 48, 58, 99, 152 ;
fœderata 152.
Claude 24, *25*, 92, 115.
Classis britannica 92, *92*.
Cochet, abbé 134, 135.
Cochlear 103.
Colisée *45*, 140.
Commission des monuments historiques 133, 142.
Compitalia, fête des *67*.
Conciliabulum 58, 112.
Cornu 113.
Cryptoportique *40*.
Cucullus 59, *63*, *83*, 107.
Culte domestique 99, 124 ; impérial 24, *24*, 39 ; de Rome et d'Auguste 17, 25, 115.
Culture céréalière 61 ;
du chanvre 69 ; des olives *65*, 68 ; de la vigne **68**.
Curie 40.
Cursus publicus (poste impériale) 88.

D

Dacie 25.
De bello gallico 136.
Decumanus 55.
Décurions 18, *18*, 40.
Dendrophore *73*.
De rustica 58.
Dieux :
Abondance 60 ;
Apollon 118, 136,

CRÉDITS PHOTOGRAPHIQUES

Bibl. nat. 25b, 97, 110, 134. Canonge 96b. J.-L. Charmet/Bibl. des Arts déco. 136. CNRS/Chéné-Foliot 75b CNRS/Centre Camille-Julian 75b, 128, 151. CNRS/Chéné-Réveillac 92/93, 94H, 97b. CNRS/Foliot Reveillac, 4ᵉ couv. Collection Albert Khan 33, 34/35, 41, 42/43, 44/45, 47h, 114. Faculté des Lettres, Clermont-Ferrand 159, 161, 162. Dagli-Orti 14, 21b, 25h, 26/27, 40, 56/57, 78b, 80, 89h, 90/91h 94/95, 97, 152. Direction des Antiquités historiques d'Auvergne 158. Direction des Antiquités historiques de Bourgogne 154. Direction des Antiquités historiques du Midi-Pyrénées/A. Vernhet 76. DITE/IPS 146 d. Droits réservés : 15, 19, 34, 35, 36, 37h, 37b, 38/39, 41, 43, 45h, 48, 51, 58/59, 82b, 127, 130, 131g, 132, 134, 135, 136, 140. Ecole des Beaux-Arts 22/23. Editions Albert-René, Paris 142. Gessel 119. Giraudon 11, 12/13, 40h, 69, 74h, 87b, 91b, 106, 108/109. Leyge F. 144 Magnum 50 h. Rapho 46/47, 150, 153. Réunion des musées nationaux 1, 2/3, 4/5, 6/7, 8/9, 24, 28/29, 32, 61, 62/63, 63d, 64/65, 65b, 66/67, 70, 71, 72/73, 76g, 78h, 79, 82, 88, 97h, 98, 101b, 102b, 102/103, 105h, 105b, 107h, 107b, 108b, 109h, 113b, 115, 116b, 117b, 117hg, 118h, 121b, 122, 123h, 123b, 124h 124/125 143. Roger-Viollet 139, 145, 156. Savay-Guerraz 50b. Sirot/Angel 141, 146g. Tallandier 16, 111h. Talliez 80. British Museum, Londres 20b. Musée Alise-Sainte-Reine 30h, 157. Musée Rolin, Autun 58h, 72hd. Musée Calvet, Avignon 20b. Musée Barrois, Bar-le-Duc 120. Musée Mariemont, Belgique 60hg. Musée Gaumois, Virton, Belgique 68bg. Musée luxembourgeois, Arlon, Belgique 97m. Musée d'Aquitaine, Bordeaux 73h. Musée Denon, Chalon-sur-Saône 17. Musée de Dijon 48/49. Musée des Beaux-Arts de Lyon/Basset 112. Musée de l'État, Luxembourg, 53. Musée de la Civilisation gallo-romaine, Lyon 27b, 110/111, 149h, 149b. Musée de Metz 96, 118b, 126/127. Musée d'Art et d'Histoire, Nîmes, couverture. Musée d'Orange 54h. Musée des Antiquités nationales, Saint-Germain-en-Laye, dos de couverture 19, 29h, 29b, 31h, 59, 60hd, 68hd, 72hg, 72b, 73b, 77h, 77b, 81, 83b, 86/87, 92, 95h, 102m, 103h, 108h, 116h, 117hd, 121h, 130, 131d, 163h, 163b, 164, 165. Musée Gallo-Romain, Sens 75h. Musée de la Ville de Strasbourg 83h. Musée de Thésée-la-Romaine 74b, 121m. Musée de Vienne/P. Plattier 18. Osterreichische Nationalbibliothek, Vienne, Autriche 84/85h. Rijksmuseum Leiden, Pays-Bas 100, 102h. Römisch-Germanisches museum, Cologne, R.F.A. 89, 104. Landesmuseum, Trier, R.F.A. 21h, 30/31, 52, 85b, 113h, 118/119. Römermuseum, Augst Suisse 99, 100/101.

REMERCIEMENTS

Françoise Beck et Hélène Chew remercient Marc Assémat, Henri Lavagne et Monique Nonne pour l'aide qu'ils ont apportée à la réalisation de cet ouvrage, ainsi que les auteurs qui les ont autorisées à citer leurs textes. Les Éditions Gallimard remercient Jean-Marie Gassend du CNRS Aix-en-Provence, Victor Lasalle de Nîmes, Alberic Olivier du CNRS de Dijon, le commandant Talliez, et Isabelle Volf de la RMN.

COLLABORATEURS EXTÉRIEURS

Chantal Hanoteau a réuni l'iconographie de cet ouvrage. Manne Héron a réalisé la maquette des Témoignages et Documents. Odile Zimmermann a assuré le suivi rédactionnel.

able des matières